C015440969

Martes de Carnaval

Clásica
Teatro

RAMÓN DEL VALLE-INCLAN

MARTES DE CARNAVAL

ESPERPENTOS

Edición de Jesús Rubio Jiménez

AUSTRAL

El papel utilizado para la impresión de este libro es cien por cien libre de cloro y está calificado como **papel ecológico**.

Esta edición dispone de recursos pedagógicos en www.planetalector.com

Esta edición sigue el texto de la última publicada y corregido por el autor, Madrid, Imprenta Rivadeneyra, 1930

Avinguda Diagonal, 662, 6.ª planta. 08034 Barcelona (España)
www.espasa.com
www.planetadelibros.com

Diseño de la colección: Compañía
Primera edición: 29-IX-1964
Trigésima sexta edición:
Primera en esta presentación: enero de 2011
Segunda impresión: noviembre de 2012
Tercera impresión: enero de 2016

Depósito legal: B. 44.321-2010
ISBN: 978-84-670-3603-9
Impresión y encuadernación: CPI (Barcelona)
Printed in Spain - Impreso en España

Biografía

Ramón del Valle-Inclán (Villanueva de Arosa, 1866-Santiago de Compostela, 1936) fue novelista, poeta y autor dramático, además de cuentista, ensayista y periodista. Inicia estudios universitarios, pero no termina la carrera de Derecho, ya que muy pronto se decanta por la literatura. Tras pasar una temporada en Madrid, marcha a México donde escribe para la prensa y, sobre todo, conoce y asimila el Modernismo. Vuelve a Madrid y se incorpora a la vida cultural y bohemia de la ciudad. Provocativo y extravagante, su estilo literario evolucionó desde un exuberante modernismo y un maduro expresionismo hasta sus peculiares composiciones esperpénticas. De entre sus obras destacan *Sonata de primavera*, *de estío*, *de otoño* y *de invierno*, que suponen la culminación del Modernismo español; *Águila de blasón*, la primera de sus llamadas comedias bárbaras; *La lámpara maravillosa*, resumen de su estética y ética; *La cabeza del dragón*, y *Luces de Bohemia*.

ÍNDICE

INTRODUCCIÓN

Para J. M. y E. Lavaud, maestros y amigos

De las primeras ediciones a *Martes de Carnaval*

Martes de Carnaval. Esperpentos (1930) acoge tres obras publicadas antes por separado y en más de una versión con las consiguientes variantes habituales en el modo de creación de Valle-Inclán. El proceso de conformación del volumen fue largo y complejo y su consideración es necesaria para comprender su alcance literario e ideológico, ya que ambos sufrieron notables modificaciones entre 1921 y 1930, es decir, entre la fecha de publicación primera de *Los cuernos de don Friolera* en *La Pluma* en cinco entregas entre los números 11 y 15 (abril-agosto de 1921) y la aparición del volumen que nos ocupa.

La publicación en *La Pluma* es ya muy significativa por varios motivos. En primer lugar, por la importancia de la revista dentro del panorama intelectual español del momento. La habían fundado en 1920 Manuel Azaña y Cipriano Rivas Cherif tras un viaje a París, donde habían tenido ocasión de conocer de cerca las inquietudes culturales últimas y, en especial, el teatro más innovador, como muestran algunos de sus escritos inmediatamente posteriores a su regreso. Amós Salvador les cedió sus dietas de diputado a Cortes para abonar los gastos de la imprenta y la publicación pudo así subsistir hasta su número 36, aparecido en junio de 1923. Los objetivos de *La Pluma* se destacaban ya nítidos en su presentación:

> *La Pluma* será un refugio donde la vocación literaria pueda vivir en la plenitud de su independencia, sin transigir con el ambiente; agrupará en torno suyo un corto número de escritores que, sin constituir escuela o capilla aparte, están unidos por su hostilidad a los agentes de corrupción del gusto y propenden a encontrarse dentro del mismo giro de pensamiento contemporáneo; romperá el silencio, astuto y bárbaro, en que la producción literaria languidece.
>
> [...] *La Pluma* no es otra torre de marfil, como se usaban —de alquiler las había— hace años; lejos de eso, sueña con adquirir una difusión proporcional al ímpetu de que nace [1].

Su objetivo era ser una tribuna abierta a la mejor literatura y contribuir a la elevación del debate intelectual en España. Y a fe que lo lograron. El recorrido de sus páginas nos conduce a buena parte de los nombres más notables de la cultura del momento, desde los del cambio de siglo (Unamuno, Baroja o el propio Valle) a jóvenes como García Lorca o Antonio Espina, pasando por lo más granado de la llamada generación de 1914: Pérez de Ayala, Díez Canedo, o los citados Manuel Azaña y Rivas Cherif.

El teatro tuvo en *La Pluma* una presencia constante a través de su sección de «Teatros» que firmaba *Un crítico incipiente* (seudónimo de Rivas Cherif) y mediante la publicación de textos teatrales entre los que se encuentran algunos de los dramas fundamentales de Valle-Inclán, que justifican este breve repaso de la revista.

Desde sus comienzos *La Pluma* mostró su desacuerdo con el teatro comercial vigente por sus escasas innovaciones. Pero esto no les llevó a refugiarse en un teatro elitista, sino a la búsqueda de fórmulas intermedias como sostiene Rivas en «Un teatro popular» (marzo de 1922) o en «Hacia un teatro nuevo»

---

[1] «Dos palabras que no están de más», *La Pluma,* 1, junio de 1920, pág. 2.

(abril de 1923). Los autores por él defendidos en esta dirección serán Galdós, Unamuno, Valle-Inclán, o la recuperación de la buena literatura dramática española áurea, cuyas mejores obras ofrecen «una estética modernísima, depuración de un clasicismo generalmente ignorado como tal» («Inauguración de temporada», octubre de 1920).

Y se prestaba también atención al teatro renovador europeo, ya evocando los veteranos intentos de André Antoine o Lugné-Poe, ya citando autores y directores recientes y rompedores: Wedekind, o Crommelynck y su célebre «farsa inaudita en tres actos» *Le cocu magnifique.*

Esta sensibilidad por el teatro europeo iba más allá de las noticias de representaciones, alcanzando también a las traducciones, que se reseñan en «Libros y revistas»: *El jardín de los cerezos,* de Chejov; *Anatol* y *La cacatúa verde,* de Schnitzler; *Danza macabra,* de Strindberg...

Pues bien, dentro de revista tan sensible a lo teatral nada ni nadie ocupó más espacio que Valle-Inclán. Publicaron textos dramáticos suyos: *Farsa y licencia de la reina castiza* (1921), *Cara de plata* (1922), además de *Los cuernos de don Friolera*[2]. Se intentó crear un «Teatro de los Amigos de Valle-Inclán», convencido Rivas Cherif de que en su teatro se hallaba una dramaturgia capaz de sacar de su pozo al teatro español[3]. Rivas

---

[2] Véase Jean Marie y Eliane Lavaud, «Valle-Inclán y *La Pluma*», *La Pluma,* 2.ª época, núm. 2, septiembre-octubre de 1980, págs. 34-45. Se reseñaron, además: *Farsa italiana de la enamorada del Rey* (junio de 1920), *Divinas palabras* (agosto de 1920) y *Farsa y licencia de la reina castiza* (junio de 1922). Siempre firmadas por Rivas.

[3] Véanse especialmente: Juan Aguilera Sastre, «El teatro de la Escuela Nueva, de Rivas Cherif», *Cruz Ansata* (Puerto Rico), 6, 1984, págs. 111-125. Manuel Aznar, «Rivas Cherif, Valle-Inclán y la renovación teatral española (1907-1936)», en *Cipriano de Rivas Cherif. Retrato de una Utopía,* número monográfico, escrito en colaboración con Juan Aguilera, de *Cuadernos de El Público,* núm. 42, diciembre de 1989. Este «cuaderno» constituye la mejor aproximación hecha hasta hoy a la personalidad de este gran director y animador cultural. La relación de Valle-Inclán con estos teatros la hemos estudiado en «Valle-Inclán y los teatros independientes de su tiempo», *Letras de Deusto,* vol. 20, núm. 48, septiembre-diciembre de 1990, págs. 49-71.

Cherif continuó de hecho en los años siguientes apoyando con firmeza a Valle y es en los teatros de ensayo que promovió o posteriormente en compañías comerciales profesionales, donde ocupó el cargo de director artístico, donde se producirán los pocos estrenos de nuestro dramaturgo realizados en vida del escritor[4]. *La Pluma,* en fin, le dedicó a Valle-Inclán, en enero de 1923, un excelente número monográfico con el objetivo de:

> Situarle en la perspectiva de la literatura militante de nuestro tiempo, ver su obra por reflejo de otras mentes, establecer un repertorio de observaciones y de noticias en torno de su persona y sus escritos.

La publicación de *Los cuernos de don Friolera* en *La Pluma,* lejos de ser, pues, algo circunstancial alcanza toda su relevancia y sentido considerada en relación con esta revista políticamente militante en la línea de la revista *España,* es decir, de un republicanismo moderado, que a su vez acogió textos como la primera versión de *Luces de Bohemia* (1920) y *Para cuándo son las reclamaciones diplomáticas* (1922). Textos todos ellos que configuran en definitiva sus *esperpentos,* un teatro renovador tanto estética como ideológicamente. Como declaraba por entonces:

> De este género he publicado *Luces de bohemia,* que apareció en la revista *España* y *Los cuernos de don Friolera,* que se publicó en *La Pluma.*

---

[4] Además del cuaderno citado: Juan Aguilera, «La labor renovadora de Cipriano Rivas Cherif en el teatro español: El Mirlo Blanco y El Cántaro Roto (1926-1927)», *Segismundo,* 39-40, 1984, págs. 233-246. Y Jean Marie Lavaud, «El nuevo edificio del Círculo de Bellas Artes y El Cántaro Roto, de Valle-Inclán», *Segismundo,* 21-22, 1975, págs. 237-254. Sobre sus relaciones posteriores: Manuel Aznar, «Cipriano de Rivas Cherif y la *Farsa y licencia de la reina castiza», Littera,* 1, 1989 (Universidad Autónoma de Barcelona), Jesús Rubio, «Una actriz apasionada para un texto apasionante: Mimí Aguglia y Valle-Inclán» (en prensa). Los textos de *Martes de Carnaval* no tuvieron virtualidad escénica en su tiempo, si se exceptúa la representación dada en El Mirlo Blanco en 1926 de una parte de *Los cuernos de don Friolera* con decoraciones de Ricardo Baroja e interviniendo como actores Francisco Vighi y Rivas Cherif.

> Esta modalidad consiste en buscar el lado cómico en lo trágico de la vida misma. [...].
> Esto es algo que no existe en la literatura española. Sólo Cervantes vislumbró un poco de esto. Porque en *El Quijote* lo vemos continuamente. Don Quijote no reacciona nunca como un hombre, sino como un muñeco; por eso provoca la hilaridad de los demás, aun cuando él esté en momento de pena[5].

Las otras piezas que incluyó en MARTES DE CARNAVAL son continuación de este modo teatral de tal manera que la aparición en 1930 de MARTES DE CARNAVAL culmina y concluye el camino aquí definido.

En los años siguientes, diversos cambios políticos —en especial la Dictadura de Primo de Rivera— no iban sino a radicalizar sus posiciones críticas respecto a la situación española, y es en los textos mismos donde mejor se detecta esta radicalización, si se sigue el proceso de reescritura constante a que los sometió en las sucesivas ediciones.

La primera edición en libro de *Los cuernos de don Friolera* apareció en 1925, formando el volumen XVII de sus *Ópera Omnia,* para integrarse, por fin, en MARTES DE CARNAVAL, en 1930.

Un proceso parecido siguieron los otros dos textos. *Las galas del difunto* se publicó primero como *El terno de difunto* en el número 10 de *La Novela Mundial* (20 de mayo de 1926), mientras que *La hija del capitán* conoció dos ediciones antes de integrarse en el volumen definitivo: la primera, en el periódico argentino *La Nación* (20 de febrero de 1927), ha sido recuperada recientemente por Javier Serrano Alonso[6]; la otra, en

---

[5] «Valle-Inclán en México. Literatura y mística», *El Heraldo de México* (21 de septiembre de 1921). Tomo la cita de Dru Dougherty, *Un Valle-Inclán olvidado: entrevistas y conferencias,* Madrid, 1983, pág. 122.

[6] Javier Serrano Alonso, «Las tres versiones de *La hija del capitán* (1927-1930), en *Diálogos Hispánicos de Amsterdam,* núm. 7: *Valle-Inclán (1866-1936). Creación y lenguaje,* Amsterdam, 1989, págs. 99-130. El texto

La Novela Mundial, 72 (28 de julio de 1927) y subtitulada ya en esta ocasión «esperpento».

Todos los críticos que se han referido a MARTES DE CARNAVAL coinciden en señalar la intencionada y equilibrada simetría del volumen, que contiene una pieza extensa —*Los cuernos*— ocupando su centro y otras dos más breves a ambos lados, enmarcándola. Más allá de esta cuidada disposición se ha tratado de descubrir su sentido, que ya Joaquín Casalduero señalaba que se deriva en parte de los propios acontecimientos históricos a que remiten las piezas y que van desde el final de la guerra de Cuba en 1898 —*Las galas*— a los complejos años siguientes, que aparecen en el trasfondo de *Los cuernos* (los motines de Barcelona o el asesinato de Dato en 1921), para concluir con el pronunciamiento de don Miguel Primo de Rivera el 23 de septiembre de 1923, cuando era capitán general de Barcelona, comenzando su Directorio Militar al que sin lugar a dudas remite *La hija del capitán,* aunque aproveche otros sucesos de fechas anteriores como ocurre con el célebre crimen del capitán Sánchez [7].

Y estos mismos críticos han indagado con precisión en el sentido del título del volumen, a primera vista ambiguo. En palabras de Casalduero, MARTES DE CARNAVAL es una mascarada grotesca en la que Valle presenta al lector una serie de fantoches sin dignidad alguna. Por otro lado, el título se refiere muy directamente a un grupo de militares ridículos.

---

apareció en el suplemento dominical «Letras-Artes», del día 20 de marzo de 1927, ilustrado con cinco figurines de personajes de la obra: El Golfante, Sinibalda, El Capitán, El General y Doña Simplicia. Escrita ya esta introducción nos llega la edición crítica de Ricardo Senabre: *Martes de Carnaval. Esperpentos,* Madrid, Espasa Calpe, 1990.

[7] Joaquín Casalduero, «Sentido y forma de *Martes de Carnaval»,* en *Ramón del Valle-Inclán. An Appraisal of his Life and Works,* ed. de Anthony Zahareas, Nueva York, 1968, págs. 686-694. Rodolfo Cardona y Anthony Zahareas, *Visión del esperpento. Teoría y práctica de los esperpentos en Valle-Inclán,* Madrid, 1987, 2.ª ed. Y Manuel Aznar, *Ramón del Valle-Inclán. Martes de Carnaval,* Barcelona, 1982.

MARTES (plural de Marte, dios de la guerra), pero DE CARNAVAL, es decir, *de mascarada.* Podría intercambiarse pues por «militares de carnaval», o «carnaval de militares». Y será en *La hija del capitán,* en su escena quinta, donde más patente se muestre esta relación:

> EL CHULAPO.—Parece que a esa gachí le rinde las armas un *invicto Marte...*
> [...]
> EL CAMASTRÓN.—¿Pero no sostenía a la rubia un *Marte Ultramarino?*
> [...]
> EL REPÓRTER.—Me abstengo de opinar... La maledicencia señala a un *invicto Marte.*

La participación del estamento militar en la vida contemporánea española, irónicamente presentada, constituye uno de los centros de atención más importantes del volumen. En palabras de Cardona y Zahareas:

> en *Las galas* referido a la vuelta de la guerra de Cuba, a los comentarios sobre la desmoralización de los militares en Ultramar y el efecto amoral que produce esta guerra en uno de sus soldados; en *Los cuernos,* con relación al período que suele llamarse de «vuelta al militarismo» y las referencias al desastre de Melilla; y apuntando, por último, en el final de *La hija* al pronunciamiento militar con que culminó este período caótico[8].

[8] Rodolfo Cardona y Anthony Zahareas, *Visión del esperpento,* ob. cit., págs. 187-188. El tema venía ocupando a Valle-Inclán desde hacía tiempo. Véanse también al respecto: A. Gooch, «Valle-Inclán, *La media noche* y la chulería militar ibérica», en *Actas del VI Congreso Internacional de Hispanistas,* Toronto, 1980, págs. 344-347. Las apreciaciones de M. Aznar, ob. cit., págs. 36-41. O Jesús Rubio, «*La cabeza del dragón:* el final del ensueño modernista», *Hispanística XX,* 5, 1987, págs. 37-51.

Valle-Inclán era consciente de los riesgos que corría escribiendo esta literatura. Sus declaraciones en vísperas de la aparición del libro no dejan lugar a dudas:

> Voy a publicar el próximo mes de marzo *Martes de Carnaval,* que es una obra contra las dictaduras y el militarismo. Pensaba publicarla en el mes de mayo, pues entonces dadas las condiciones climatológicas de Madrid, la Cárcel Modelo, cuyo interior conozco por mis permanencias en ella, está confortable. Sin embargo, a pesar de los fríos reinantes, no retrasaré la salida, porque considero que es un momento apropiado. Ya que los jóvenes callan, es cuestión de que lo hagan los viejos por ellos [9].

MARTES DE CARNAVAL resulta así un análisis irónico de la sociedad española desde la peculiar óptica del *esperpento* y una toma de postura política de su autor, dado a hacer declaraciones que sólo en apariencia eran extravagantes e improvisadas.

LOS AVATARES DE LOS TEXTOS

Como queda dicho, Valle fue modificando los textos, acentuando cada vez más su carácter político y concretando sus alusiones hasta hacerlas inconfundibles.

En *Las galas del difunto* los cambios se inician en el título, donde sustituye el *terno* por las *galas,* pasando así a englobar no sólo el traje sino también el *bombón* y el *bastón* del boticario que Juanito Ventolera va a buscar a casa de la viuda como consecuencia de una apuesta. El cambio es afortunado, ya que

---

[9] Rodolfo Cardona y Anthony Zahareas, *Visión del esperpento,* ob. cit., pág. 241. Tomado de Francisco Madrid, *La vida altiva de Valle-Inclán,* Buenos Aires, 1943, pág. 73.

da al título un sentido más comprensivo al incluir estos dos objetos claves en el desarrollo de la trama[10].

Otras modificaciones que ha sufrido el texto atenúan lo melodramático, de manera que Doña Terita deja ahora de ser la madrastra de La Daifa, con lo que se evitan las posibles sugerencias de que el padre de La Daifa pudiera haber actuado influido por ella al expulsarla de su casa. O hacia el final se suprimen algunas réplicas que denotaban este carácter melodramático:

> JUANITO.—¡Quietas las manos! ¡Es una carta de novela!
> LA DAIFA—Mi vida es un folletín.
> JUANITO.—¿Pero cómo pudiste haber escrito esta carta?
> LA DAIFA.—Con pluma, papel y tintero.

Se atenuaba así el efecto de la lectura de la escalofriante carta de La Daifa, aunque ya estas réplicas conllevan una notable carga irónica. Ahora, los comentarios de La Niña y La Madre, según justa apreciación de Cardona y Zahareas, sin dejar de evocar los referentes genéricos anteriores, les dan otras connotaciones y sobre todo, a nuestro entender, la distancia adecuada, al ser puesta en boca de personajes que no viven directamente la desmesurada situación, sino que la contemplan y la comentan. Dirá La Niña de la carta: «¡La sacó del Manual!»; y concluye la obra La Madre: «Después de este folletín, los cafeses son obligados».

Los añadidos no son menos interesantes, sobre todo con vistas a la concreción de la crítica política que conllevan. La escena primera, que recoge el primer encuentro y conversación entre Juanito y La Daifa, se prolonga ahora más, comentando la situación de la guerra de Cuba. Los comentarios de Juanito

---

[10] R. Cardona y A. Zahareas, *Visión del esperpento,* ob. cit., págs. 188-192, para *Las galas del difunto;* en las págs. 192-194 realizan una comparación con los comentarios acerca de la guerra cubana que hizo Santiago Ramón y Cajal en *Recuerdos de mi vida.*

evitan cualquier posibilidad de mitificación de lo allí ocurrido. Deshace la imagen de lucha heroica e idealista que La Daifa tiene. Las acciones de lucha quedan reducidas a tiros de lejos, ya que «allí solamente se busca el gasto de municiones» y la guerra no se acaba. «Porque no se quiere. La guerra es un negocio de los galones». Idea que remachará después al referirse a los negocios de los mandos no sólo con las municiones, sino incluso con la comida de los soldados a quienes esquilman: «¡No robaran ellos como roban en el rancho y en el haber!».

La sátira antimilitarista se hace así evidente. Y no se detiene en este nivel, sino que se extiende también a los subordinados. Juanito dirá que «Es una cochina vergüenza aquella guerra», «el soldado, si supiese su obligación y no fuese un paria, debería tirar sobre sus jefes». Alguno parece haberlo hecho, pero en general se asume la situación con resignación, lo cual lleva a La Daifa a realizar este comentario: «todos volvéis con la misma polca, pero ello es que os llevan y os traen como a borregos».

Las galas del difunto se inscribe así en la serie de la literatura regeneracionista más radical, que durante años, sin embargo, venía siendo censurada y silenciada con casos tan llamativos como la prohibición en mayo de 1903 de *El héroe,* de Santiago Rusiñol, por las reacciones de los militares ante su estreno[11].

Las condecoraciones conseguidas no sirven para nada. Y si despreciados por sus jefes fueron allí los soldados, ahora no lo son menos al ser repatriados. Como lo muestra toda la escena segunda, sus compatriotas les vuelven las espaldas y sólo con malos modos los acogen. El licenciado Sócrates Galindo, no pudiendo librarse de Juanito, le dirá:

> Dormirás en la cuadra. No tengo mejor acomodo. Mi obligación es procurarte piso y fuego. De ahí no paso. Comes de tu cuenta.

---

[11] Documentos relativos al caso, además de la prensa del momento, en el Archivo Histórico Nacional, Ministerio de Gobernación, legajo 32A, núm. 5.

Así las cosas, no es extraño que en la escena primera anduviera callejeando y le ofreciera a La Daifa todas sus medallas a cambio de «la dormida». Es un fragmento añadido en la nueva versión. El heroísmo y el patriotismo oficiales, los signos que los caracterizan, quedan reducidos a menos que chatarra:

> JUANITO.—¿Hacemos changa, negra?
> LA DAIFA.—¿Y si te tomase la palabra?
> JUANITO.—Por tomada. Me das la dormida y te cuelgas este calvario.
> LA DAIFA.—¡Pss!... No me convence.
> JUANITO.—Te adornas la espetera.
> LA DAIFA.—¡Guasista!
> JUANITO.—Salte un paso que te lo cuelgo.
> LA DAIFA.—El ama está alerta. ¿Qué medalla es ésta?
> JUANITO.—Sufrimientos por la Patria.
> LA DAIFA.—¡Hay que ver... ¿Y ésta?
> JUANITO.—Del Mérito.
> LA DAIFA.—¡Has sido un héroe!
> JUANITO.—¡Un cabrón!
> LA DAIFA.—¡Me estás cayendo la mar de simpático! ¿Y estas cruz?
> JUANITO.—De Doña Virtudes. El lilailo que te haga tilín, te lo cuelgas. Como si te apetece todo el tinglado. ¡Mi palabra es de Alfonso!

La situación no puede ser más sarcástica. Una prostituta —que llegó a la prostitución por causa de la guerra, ya que fue expulsada de su casa al quedar preñada por el soldado Aureliano Iglesias, muerto luego en Cuba—, y un repatriado envilecido y desesperado, pasan revista a las condecoraciones que la Patria ofrece a sus héroes y que en resumidas cuentas no sirven ni para pagar una «dormida» a una prostituta. Tras sus comentarios, nada queda en pie. Después de su experiencia cubana y el hostil recibimiento de que es objeto, Juanito Ventolera en buena lógica no debe abrigar esperanza ni defender valor moral o social alguno.

En el caso de *Los cuernos de don Friolera* el estudio de los cambios textuales es más complicado, dada la complejidad de este drama. Tras su publicación en *La Pluma* (1921), apareció como volumen en 1925 y la revista *El Estudiante* ofreció una versión del «Epílogo» en 1926, que no ha sido tenida en cuenta en el cotejo de versiones anteriores a MARTES DE CARNAVAL[12]. Excede los límites de esta introducción el cotejo detallado de todos estos textos, por lo que me limitaré a señalar —siempre de la mano de Zahareas y Cardona— los cambios más llamativos.

En el «Prólogo», señalan la supresión de las frases subrayadas en el texto que sigue y que justifican como una toma de conciencia de Valle de que había ido demasiado lejos en sus afirmaciones respecto a la crueldad de Shakespeare:

> La crueldad y el dogmatismo del drama español solamente se encuentra en la Biblia. La crueldad sespiriana es magnífica, porque es ciega, con la grandeza de las fuerzas naturales. Shakespeare es violento, pero no dogmático: *Tiene la bárbara alegría de un cosaco quemando aldeas, violando mujeres, degollando viejos inútiles.*

Y modificó, además, alguna acotación o el final, alargándolo. El lacónico cierre de 1921 dio lugar a una pequeña secuencia de complejo análisis. Dice esta vez:

> DON MANOLITO.—¿Qué haría usted viendo ahorcarse a un pescador?
>
> DON ESTRAFALARIO.—Preguntarle por qué no lo había hecho antes. El Diablo es un intelectual, un filósofo, en su significación etimológica de amor y saber. El Deseo de Conocimiento se llama Diablo.

---

[12] «Esperpento de *Los cuernos de don Friolera*», *El Estudiante* (3 de enero de 1926). Un detenido análisis en R. Cardona y A. Zahareas, ob. cit., págs. 178-186.

> DON MANOLITO.—El Diablo de usted es demasiado universitario.
> DON ESTRAFALARIO.—Fue estudiante en Maguncia e inventó allí el arte funesto de la Imprenta.

Mientras que antes simplemente decía:

> DON MANOLITO.—¿Qué haría usted viendo ahorcarse a un pescador?
> DON ESTRAFALARIO.—Espantarme las moscas con el rabo.

Defensor don Estrafalario de un arte más espontáneo, parece considerar funesta ahora la invención de la imprenta, porque habría venido a matar la espontaneidad artística.

En la parte central, los cambios introducidos en 1925 se orientan a matizar ciertas situaciones como la cursilería del primer diálogo entre Pachequín y doña Loreta o amplía acotaciones acentuando más la gestualidad de los personajes o su descripción. Así, la acotación del comienzo de la escena sexta era muy breve:

> La sombra de DON FRIOLERA pasa gesticulante sobre los muros de la sala dominguera. El quinqué de porcelana azul tiene un temblor enclenque.

Ahora:

> En la sala dominguera, sobre el velador con tapete de ganchillo, el quinqué de porcelana azul ilumina el álbum de retratos. Pasa por la pared, gesticulante, la sombra de DON FRIOLERA. Un ratón, a la boca de su agujero, arruga el hocico y curiosea la vitola de aquel adefesio con gorrilla de cuartel, babuchas moras, bragas azules de un uniforme viejo, y rayado chaleco de Bayona. El quinqué de porcelana translúcida tiene un temblor enclenque.

Pero será sobre todo en la versión de 1930 cuando se aprecien más cambios intensificando la ridiculización de los personajes y remarcando su hablar popular o —y esto es lo decisivo— concretando más lo histórico, como hizo con el resto de las piezas.

De nuevo es necesario remitir a Cardona y Zahareas para un análisis detallado de cómo se hace más patente el antimilitarismo sobre todo en la escena séptima. La acción tiene lugar en el billar de doña Calixta, que conversa al principio con Curro Cadenas. Al hilo de la conversación surgen temas diversos, mientras en el piso de arriba tres tenientes juegan a las cartas. Curro ofrece «una pacotilla de género inglés» a doña Calixta, con lo que queda manifiesto que los billares de doña Calixta son sólo la tapadera de un antro de contrabandistas donde coinciden bandidos y militares, que Valle equipara como tantas otras veces.

En otros momentos, la conversación añade nuevas referencias al *oscurantismo* del país o a cómo «Somos víctimas del clero». Sin embargo, Valle, que ha dirigido ya su atención hacia el estamento militar, vuelve sobre él en la escena siguiente para destrozar su arcaico sentido del honor. El teniente Rovirosa, cuya honorabilidad ha quedado más que en duda en la escena anterior, se muestra puntilloso en lo relacionado con el honor. Subrayo lo añadido:

> Comienzo por advertir a mis queridos compañeros que, *en puntos de honor,* me pronuncio contra los sentimentalismos.

Y será él quien impulse a Friolera hacia el crimen de honor como salida a la situación en la que se encuentra. Y más dispersas se deslizan referencias a la guerra cubana («Ultramar ha sido negocio para los altos mandos y para los sargentos de las oficinas...»), a las campañas en el norte de África o frases que equiparan a la monarquía con el ejército: «El rey es un símbolo, una representación de todas las glorias del ejército».

Y, en fin, la única modificación encontrada en el «Epílogo» se orienta también hacia una mayor precisión histórica y constata la radicalización de Valle. Donde se explicaba que don Manolito y don Estrafalario estaban en la cárcel por «poner bombas», ahora se dice que lo están por «anarquistas».

*

Si en *Las galas* y en *Los cuernos* había cierta inconcreción histórica que en la versión definitiva terminaba por hacerse evidente, en *La hija del capitán* desde el primer momento su intencionalidad política fue patente hasta el punto de provocar, por parte de las autoridades, una orden de recogida de la edición publicada en *La Novela Mundial* (28 de julio de 1927):

> La Dirección General de Seguridad, cumpliendo órdenes del Gobierno, ha dispuesto la recogida de un folleto, titulado *La hija del Capitán,* cuya publicación califica su autor de «esperpento» no habiendo en aquél renglón que no hiera el buen gusto ni omita denigrar clases respetabilísimas a través de la más absurda de las fábulas. Si pudiera darse a la luz pública algún trozo del mencionado folleto, sería suficiente para poner de manifiesto que la determinación gubernativa no está inspirada a *(sic)* un criterio estrecho e intolerable, y sí exclusivamente en el de impedir la circulación de aquellos escritos que sólo pueden alcanzar el resultado de prostituir el gusto, atentando a las buenas costumbres [13].

La situación no deja de ser paradójica ya que se trataba, en opinión de los propios censores, de «la más absurda de las fábulas» y, sin embargo, se temían sus efectos sobre «las buenas costumbres» de los lectores.

Valle-Inclán, en efecto, situó la acción del esperpento en Tartarinesia, un imaginario reino que, aparte de remitir al hé-

---

[13] Tomo el texto de R. Cardona y A. Zahareas, ob. cit., págs. 197-198.

roe daudetiano, lo hacía también a uno de los periodistas que desvelaron el crimen del capitán Sánchez, como puede verse en las páginas que más adelante dedicamos al estudio de la obra [14]. Y en este imaginario reino ideó lugares y acciones que resultaron, a pesar de su aparente exotismo, muy cercanos a los censores. Cardona y Zahareas han realizado un cotejo minucioso con la versión de MARTES DE CARNAVAL donde la lejanía y el exotismo de Tartarinesia son sustituidos por España y, más precisamente, por Madrid [15]. Pero ya antes se había realizado una primera edición en *La Nación* de Buenos Aires, recuperada por Javier Serrano [16].

Lo más llamativo de esta primera versión respecto al texto definitivo es que algunos añadidos de los que se creían realizados en 1930 al texto de 1927 publicado en *La Novela Mundial,* se encuentran ya en la versión de *La Nación,* que fue el texto que después retomó para construir el texto que integró en MARTES DE CARNAVAL. De las variantes introducidas en *La Novela Mundial* respecto a la versión de *La Nación* prácticamente nada pasó al texto último. De modo que lo ocurrido fue que Valle recuperó parte del texto primero como demuestra Javier Serrano, que descubre en cada una de las tres versiones una intención distinta de Valle-Inclán. Si en la primera versión pudo proceder con relativa libertad, en la segunda, según sus palabras,

> Valle-Inclán, al escribir sobre la histórica ficción de un país donde los militares malbaratan en política, se inmiscuyen, alegando patriotismo y oscuros honores, en la vida normal de la sociedad y golpean al Estado, no se atreve a decla-

---

[14] Valle-Inclán ya había acudido al mismo procedimiento de situar la fábula de una de sus piezas en una geografía exótica, pero como pretexto para analizar la vida española. Lo hizo en la farsa de *La cabeza del dragón* con su cervantino reino de Micomicón. Véase mi ensayo, ya citado en nota 8, «*La cabeza del dragón:* el final del ensueño modernista».

[15] Un detallado estudio de los cambios en R. Cardona y A. Zahareas, que aquí sintetizo.

[16] Véase su ensayo citado en nota 6.

> rar abiertamente que esta nación es España, y esteriliza su obra ofreciéndonos un nombre imaginario para este país, Tartarinesia, y apellidos, apodos y geografías extranjeras como ficticias [17].

A pesar de todo, los lectores argentinos se percataron de las intenciones del texto y, de hecho, cuando fue prohibida la segunda versión, la revista bonaerense *Céltiga* indicaba que lo presintieron cuando apareció en *La Nación* [18].

Finalmente, en la edición de 1930 pudo «españolizar» totalmente la obra desde los nombres de los personajes a los lugares y añadir, además, nuevos datos en algunas de las escenas. En este último aspecto Cardona y Zahareas han señalado lo decisivos que resultan los añadidos en la escena sexta, mediante los cuales Valle resalta el carácter de golpista del general y de los militares de su entorno. Es decir, liquidada la dictadura primorriverista podía ir más lejos en sus alusiones que antes, reforzando el carácter antimilitarista del esperpento. Si en las tres versiones existe esta crítica acerba del militarismo, no cabe duda que en la última versión es donde más lejos se llega.

Imposible aquí hacer más que un somero repaso de este complejo juego de variantes que, en todo caso, puede verse detallado en los estudios que vengo citando. Bastará con indicar algunos de los aspectos más llamativos que presentan la imaginaria Tartarinesia y la España real a la que remiten. En ambos casos los sucesos tienen lugar en una gran ciudad, pero mientras que en el primero se refiere simplemente al «Barrio moderno» o da localizaciones imprecisas, en el segundo se trata del «Madrid moderno»; las «afueras» se convierten en «Vicálvaro» y las exóticas calles de la «Emperatriz» y «Malakoff» en las calles «Pez» y «Montera»; y cuando se aproxima más aún, las «galerías internacionales» devienen en los enton-

---

[17] J. Serrano, art. cit., pág. 102.
[18] Ibídem., pág. 99.

ces conocidos almacenes «El Águila», el «Club Minerva» en el «Círculo de Bellas Artes» y el «Teatro Elíseo» en el «Apolo».

En Tartarinesia era lógico que se hablara de «la mujer tartarinesia» donde ahora se habla de «mujeres españolas»; «El pueblo ciudadano» genérico se convierte en «pueblo español» y su habla se llena de casticismos donde la prodigiosa capacidad verbal valleinclaniana vuelve a mostrarse con todo su esplendor.

Un lugar notable ocupa en los dos casos la prensa, de la que se dice: «La Prensa en todas partes respeta el sagrado de la vida privada menos en Tartarinesia»; frase que se concreta ahora como: «La Prensa en todas partes respeta... menos en España»; el periódico titulado *El Estandarte de Tartarinesia* es sustituido por *La Corres (La Correspondencia de España), El Heraldo (El Heraldo de Madrid)* y *El Diario Universal;* o *El Lábaro de Tartarinesia* se convierte en *El Lábaro de Orbaneja.*

Es una manera tanto de ridiculizar cierto tipo de prensa como de precisar históricamente la fábula, como ocurre con los nombres y los tratamientos. Donde se aludía a su «Alteza Imperial, el príncipe Regente», ahora se hace directamente al Rey; la «Marcha Imperial» es sustituida por la «Marcha de Cádiz», que compusiera en 1886 Chueca; o las alusiones a pronunciamientos isabelinos y a los crímenes del capitán Sánchez terminan por situar al lector.

La hispanización de los lugares y de los objetos determina una redefinición de los personajes por sus nombres, costumbres y vestidos. En la edición de 1927 aparecía una mezcla de nombres franceses, ingleses e italianos junto a otros con referentes mitológicos o legendarios; ahora se españolizan con resultados como los siguientes: El Capitán Sinibaldo Junot pasa a ser el Capitán Sinibaldo Pérez; el Brigadier Duclos y el Coronel Dubois, se llaman ahora Frontaura y Camarasa; se cercena cierto exotismo en «Cupido el Cosmético», ahora simplemente «Pepe», en «Filimón el Tapabocas», ahora «Tono», o «El Pollo del Trianón», ahora «El Pollo de Cartagena». Los cambios convierten a «el héroe de Tartarinesia» en «el vencedor de Periquito Pérez» y «el nieto de San Expedito» deviene en «el nieto de San Fernando».

No sólo se insiste en la nacionalidad española de los personajes sino que incluso se sitúan regionalmente en 1930, de modo que el «ricacho colonista» es ahora «donostiarra», el «trapisonda financiero de la marca británica» es «catalán» o el «obrero tunecino» es ahora «levantino».

Costumbres españolas como el gusto por los toros que aparecía en la edición bonaerense se recupera; y así, el general «veterano en comilinas y juergas» es ahora «veterano de toros y juergas»; los «cómicos de la peña marchosa» y la «gran escopeta de su Majestad» se transforman en «toreros» y «taurófilos».

Estos cambios determinaban otros en el lenguaje y la aparición de nuevas réplicas en boca de los personajes, siendo en este sentido el más beneficiado el general Miranda, que, como consecuencia, quedará mucho mejor definido —aunque irónicamente— como militar y como patriota.

Si en los tres esperpentos de MARTES DE CARNAVAL la trayectoria editorial de los textos necesita ser considerada, salta a la vista que sobre todo en *La hija del capitán* el texto mismo es el mejor escenario de la radicalización ideológica que ya hemos apuntado y cómo MARTES DE CARNAVAL no es una simple recopilación de textos ya existentes, sino que éstos, respondiendo al ajustado título que los cobija, han sido refundidos o retocados, para dotarlos de esa necesaria unidad sin que ésta, con todo, vaya en detrimento de la singularidad de cada uno de ellos. Un arte difícil este de poner títulos adecuados, pero que Valle cultivó con esmero y acierto.

LAS GALAS DEL DIFUNTO

Un texto temprano de Valle-Inclán —«Un retrato» *(El Liberal,* 7 de febrero de 1903)— ha sido señalado como la fuente más remota de *Las galas del difunto* por Jacques Fressard dentro de su propia obra [19]. En él, *retrató* literariamente a Mamed Casanova, el bandido gallego que tuvo un tiempo atemorizadas a las gentes de la comarca de Ortigueira hasta que fue apresado en diciembre de 1902. Se temían su fuerza hercúlea, su audacia y su insolencia, y sólo mediante un engaño pudo ser reducido.

Valle-Inclán debió de sentirse seducido por este personaje excepcional al que *ennobleció* en su retrato colocándolo al lado de César Borgia, Pizarro o Hernán Cortés:

> El célebre bandolero tiene el gesto sombrío, dominador y galán, con que aparecen en los retratos antiguos los capitanes del Renacimiento: es hermoso como un bastardo de César Borgia. En el siglo XVI hubiera conquistado su real ejecutoria de hidalguía peleando bajo las banderas de Gonzalo de Córdova o del duque de Alba, de Francisco Pizarro o Hernán Cortés. Acaso entonces nos dejaría una hermosa memoria ese Mamed Casanova, nacido para saquear ciudades en Italia, para quemar herejes en Flandes, para esclavizar emperadores en Méjico, para ahorcarlos en el Perú.
>
> [...] Yo confieso que admiro a estos bandoleros que desdeñan el peligro y que desdeñan la muerte. Tienen para mí una extraña fascinación moral. A los quince años Mamed Casanova realizó su primera hazaña, que entre tantas, es sin duda la más bella. Desenterró el cadáver de un indiano, vistiose la mortaja, y ataviados de esta suerte, fue a la casa mortuoria para dar el pésame a la parentela de hijos y nueras congregadas en la cocina, al amor de la lumbre. ¿No es verdad que esta aventura lúgubre y burlesca, tiene la extraña belleza de una fantasía urdida por el príncipe Hamlet? Después, Mamed Casanova se echa al camino. Mancebo temerario y violento, fue bandolero porque quiso aspirar a la posesión de la vida.

---

[19] Jacques Fressard, «Valle-Inclán et le bandit galicien Mamed Casanova: une source de *Las galas del difunto*». *Les Langues Neolatines,* 173, mayo-junio de 1965, págs. 39-53. Escribió el retrato para un concurso cuyos detalles estudia Fressard. Sobre este bandido, véanse también las páginas que le dedica J. A. Durán en *Crónicas,* I, Madrid, 1974, págs. 311-322.

> No tenía nada y lo deseaba todo. ¡Es triste ver cómo los hermanos espirituales de aquellos tercios de Flandes y de aquellos aventureros de América, no tienen ya otro destino que el bandolerismo caballeresco!
>
> En el retrato de Mamed Casanova nada delata al asesino. Su rostro, lo mismo puede ser el de un monje penitente, que el de un hidalgo sombrío. Mamed Casanova mató siempre sin saña, con frialdad, como matan los hombres que desprecian la vida, y que sin duda por eso no miran como un crimen dar la muerte. Los instintos de ese terrible bandolero son los instintos que en otro tiempo sirvieron para perpetuar las dinastías, y que hoy sólo de tarde en tarde alcanzan tan alta soberanía, porque las almas son cada vez menos ardientes, menos impetuosas, menos fuertes. Yo creo advertir en los ojos de ese retrato más audacia que perversidad. Tiene el alma en ellos, el alma de los grandes capitanes, fiera, gallarda y de través, como los gavilanes de la espada. Desgraciadamente, ya quedan pocas almas así. ¿Será verdad que cuando se extinguen por completo, las razas agonizan?

El texto, que he transcrito casi en su totalidad por su gran interés y densidad, ilumina y mantiene relaciones con múltiples obras posteriores de Valle, siendo *Las galas del difunto* uno de los últimos eslabones de la cadena por la anécdota común a los dos textos (el terno del difunto) y por sus implicaciones ideológicas.

Señala Fressard que Mamed como Bradomín en las *Sonatas* es colocado comparativamente al lado de grandes personajes renacentistas como Borgia o los conquistadores. Más aún, en *Sonata de estío* reescribe el retrato para describir al bandido mexicano Juan de Guzmán, alterando sólo algunos detalles superficiales. Y similitudes presenta también con los violentos personajes de las *Comedias bárbaras,* cuya primera entrega —*Águila de blasón*— llamó de hecho al ser publicada su primera versión en *Por esos mundos* (núm. 140, septiembre de 1906, págs. 194-201), *Gavilán de espada,* expresión que hemos visto en el retrato de Mamed Casanova.

Mamed Casanova, pues, lejos de ser un personaje que entra accidentalmente en la obra de Valle está en el inicio de una de sus series más significativas por su capacidad de situarse más allá del bien y del mal. Admiraba Valle en sus primeros años de escritor estos personajes origen y sostén de las sociedades feudales. Sólo más adelante invertirá su tratamiento, cuando inicie su parodia —cada vez más sistemática— del mundo heroico feudal.

La primera muestra nítida de este cambio es, creo, la farsa de *La cabeza del dragón,* donde se plantea el origen de la nobleza en el bandidaje, cuando Espandián pretende arteramente casarse con La Infantina. Hallamos entonces este diálogo:

> EL REY MICOMICÓN.—Óyeme con calma, hija mía. Espandián no es un bandolero vulgar. Reina en los montes, y en los caminos tiene una hueste aguerrida y numerosa. Si yo le concedo beligerancia...
> LA INFANTINA.—¡No habléis así, padre mío!
> EL REY MICOMICÓN.—Aun sin matar al Dragón, podría ser uno de mis nobles. ¿Imaginas que es otro el origen de mis Pares y mis Duques?[20].

Esta farsa inicia la desmitificación del mundo heroico que culmina en las piezas de MARTES DE CARNAVAL. La impostura de Espandían sirve para desvelar imposturas de más alcance, como la del repatriado Juanito Ventolera servirá para desvelar las de los mandos del ejército español en Cuba.

La anécdota del desenterramiento del cadáver del indiano por Mamed Casanova y del de Sócrates Galindo por Juanito, en nuestro caso establecen una relación evidente entre los dos textos, pero acaso menos importante que la señalada antes, la de la inversión de todo un mundo de valores que supone *Las galas del difunto.* La suplantación de personalidad de las dos

[20] Ramón María del Valle-Inclán, *Tablado de marionetas,* Madrid, 1970, 2.ª ed., pág. 135.

situaciones hacen patente, además, el juego de apariencias en que consiste lo real. Un bandido apoyado en un sistema de valores mitificador puede aparecer como un héroe; un pobre diablo como Ventolera, que hace escarnio de ese mundo y sus signos, desvela su falsedad y devuelve a su condición primitiva los hechos, es un aparecido que viene a turbar las conciencias, que han suplantado la percepción y valoración de los hechos reales con construcciones artificiales.

Y aún cabe apurar un poco más el careo entre Mamed y Juanito. Fressard recupera el testimonio de Mamed que afirma haber robado su traje al difunto para embarcarse con destino a América, donde esperaba hacer fortuna. De haber ido, acaso hubiera retornado como Juanito, agotado y enfermo. Los tiempos heroicos de la conquista habían pasado y las últimas luces del heroísmo llegaban a su ocaso. La guerra de Cuba es ahora una parodia bufonesca de la conquista de América.

Lo anecdótico en Valle-Inclán es siempre soporte de un sentido segundo. Una disparatada fábula le servía ya en *La cabeza del dragón* para someter a dura crítica la monarquía y el mundo militar. Lo es una anécdota macabra y desenfrenada en «Un retrato» o ahora la trama folletinesca en *Las galas del difunto*. Es natural en este contexto que los términos de comparación pasen de ser Cortés o Pizarro a Ravachol. Como es sabido, éste fue un célebre bandido francés que, por cierto, comenzó su carrera delictiva violando una tumba en el cementerio de Saint-Jean-Bonne-fonds (Loire), en 1891 [21]. Rodolfo Cardona ha recalcado la importancia de esta referencia al bandido francés, que considera incluso más importante que la referencia al *Don Juan Tenorio,* de Zorrilla, ya que éste se evoca por la situación en que se encuentra el personaje, mientras que las actitudes y convicciones de Juanito son parecidas

---

[21] La precisión es de Fressard, que remite a Jean Maitrou, *Ravachol et les anarchistes* (París, 1964, pág. 62). La comparación se pone en boca de La Daifa: «O mucho me engaño, o tú eres otro Ravachol».

a las de Ravachol, extraña síntesis de bandido y anarquista violento[22].

Avalle-Arce estudió con detenimiento el *Don Juan Tenorio,* de Zorrilla, como referente de *Las galas del difunto*[23]. Es conocida la gran estima que Valle-Inclán tenía por este drama, no tanto por su contenido cuanto por su teatralidad. Gómez de la Serna, en su conocida biografía, pone en boca de don Ramón estas palabras comentando la escena del diván:

> Decía (Valle) que las quintillas que don Juan recita a doña Inés en la conocida escena del sofá, son un trozo admirable de poesía teatral, porque no son imágenes inventadas por la fantasía del personaje, sino sugeridas por cuanto le rodea: el Guadalquivir, la barca del pescador, las lágrimas que ruedan por la mejilla de doña Inés... y esto es lo importante en el diálogo teatral: que el personaje diga no lo que el autor quiera, sino lo que le sugiere la situación[24].

La extraordinaria teatralidad de la versión del tema de don Juan escrita por Zorrilla le llamó, pues, la atención más allá de las implicaciones del propio tema del donjuanismo al que no es ajeno[25]. La apreciación citada de Cardona del carácter si-

---

[22] R. Cardona, «*Las galas del difunto*», en *Valle-Inclán. Nueva valoración de su obra,* edición de Clara Luisa Barbeito, Barcelona, 1988, págs. 243-250. En especial, pág. 244.

[23] Juan Bautista Avalle-Arce, «La esperpentización de *Don Juan Tenorio*», *Hispanófila,* III-IV, 1959, págs. 29-39. También, Eliane Lavaud, «Otra subversión valleinclaniana: El mito de Don Juan en *Las galas del difunto*», en *Ramón del Valle-Inclán (1866-1936). Akten des Bramberger Kolloquiums vom 6-8 november 1986,* Niemeyer Verlag, Tübingen, 1988, págs. 139-146. Sobre parodias anteriores del *Don Juan Tenorio* de Zorrilla: Martin Nozick, «Some parodies of *Don Juan Tenorio*», *Hispania,* XXXVII, 1950, págs. 105-112.

[24] Ramón Gómez de la Serna, *Don Ramón María del Valle-Inclán,* Madrid, 1944, pág. 107.

[25] Sobre la presencia y vigencia del tema de don Juan en España en aquellos años, véase María C. Dominicis, *Don Juan en el teatro español del siglo XX,* Miami, 1978. Sobre su *teatralidad,* mi ensayo, «*Don Juan Tenorio,* drama de espectáculo: plasticidad y fantasía», *Cuadernos de Investigación Filológica,* XV, 1-2, 1989, págs. 5-24.

tuacional de las referencias a Zorrilla —que compartimos— cobra así todo su sentido. Zorrilla es fuente inagotable de teatralidad, pero el sentido del personaje es muy otro. Don Juan se ha convertido en «un ser prismático y sus interpretaciones y recreaciones se han irisado en consecuencia», como señala Avalle-Arce. Valle realiza una parodia del *Don Juan Tenorio,* de Zorrilla, como es evidente, pero no lo es menos que aprovecha sugerencias del tema de otra procedencia. Su irreverencia y desfachatez, por ejemplo, no parecen ajenas al del don Juan originario tal como lo estudió su amigo Víctor Said-Armesto o los referentes citados hace un momento. El uso paródico de Zorrilla lo es ante todo de su teatralidad. Las referencias van desde alusiones directas a otras más generales. Así, en la escena tercera, la del cementerio, respondiendo a sus acompañantes se hallan estas réplicas:

> JUANITO VENTOLERA.—Parece que representáis el Juan Tenorio. Pero allí los muertos van a cenar de gorra.
> FRANCO RICOTE.—Convidado quedas. No hemos de ser menos rumbosos que en el teatro.

Y más adelante, El Bizco Maluenda, comentando su pretensión de violar la tumba del boticario para ponerse sus ropas, dirá: «ese atolondramiento no lo tuvo ni el propio Juan Tenorio». Comparación que remacha en la escena cuarta, ya en casa de La Sotera, cuando aparece «transfigurado con las galas del difunto», diciendo: «¡Ni el tan mentado Juan Tenorio!».

Se invita así al lector, o al espectador en su caso, a que no olvide el referente apuntado, pero también la leyenda en general. La osadía de este don Juan por escarnio, carnavalesco, no parece tener límites. Demoniaco y subversivo traspasa cualquier límite para asombro de quienes le rodean. Difícilmente se podía llegar más lejos en la parodia del mito:

> Para captar su esencia le bastan a Valle-Inclán tres momentos arquetípicos, y son éstos los que sufren grotesca transformación. El mito de don Juan se cifra aquí en la siguiente

> tríada de episodios: una conquista amorosa, escena del cementerio y banquete consiguiente, rapto de la novicia del convento. Se hace evidente así que el modelo escogido no es la obra de Tirso, sino el *Don Juan Tenorio* de Zorrilla. La elección fue dictada, seguramente, por la mayor popularidad del drama de Zorrilla, única versión del mito conocida por muchos españoles e hispanoamericanos, y cuyos versos y situaciones eran parte del acervo literario de las masas. Se puede decir que el *Don Juan Tenorio* ya estaba semiesperpentizado en su rodar por la tradición plebeya[26].

El drama de Zorrilla es, desde el punto de vista teatral, un compendio de las posibilidades y efectos del drama romántico llevados hasta el límite y dándoles un sentido idealizador que supera la poética del género[27]. Pero precisamente de este extremado uso de la poética del drama romántico nace también la facilidad para su parodia, como ocurrió en los años siguientes. Valle-Inclán destaca en varios momentos el carácter melodramático del esperpento, ironizándolo al hacerlo y muy especialmente en la rúbrica final:

> LA MADRE.—Juanillo, hojea el billetaje. Después de este folletín, los cafeses son obligados.

De este modo, antes de concluir se recalca el carácter de representación exagerada que toda la pieza ha tenido por si las sucesivas rupturas de la ilusión que contiene no hubieran sido suficientes y siempre con marcado tono paródico.

Aventura arquetípica en cualquier tratamiento del tema de don Juan son las conquistas amorosas. Pero aquí ya en la primera escena se invierte el paradigma: Juanito Ventolera (don Juan) es seducido por La Daifa (doña Inés), que le provoca desde la puerta del prostíbulo a su paso. Ha perdido la inicia-

---

[26] Avalle-Arce, art. cit., pág. 35.

[27] Véase, al respecto, el comentario de Ermanno Caldera, *Il dramma romantico in Spagna,* Pisa, 1972, págs. 223-225.

tiva, que recupera luego en sus requiebros a La Daifa. Pero si invertidos se presentan los personajes, no menos su lenguaje. Juanito llama a La Daifa «paloma», como en el *Tenorio* hacía don Juan en su carta a doña Inés:

> Doña Inés del alma mía,
> luz de donde el sol la toma,
> hermosísima paloma
> privada de libertad[28].

Pero ahora el sentido es diferente. No se eludirá incluso la grosería sexual («¿Quiere usted sacarme para fuera la llave de tuercas?»). Como ha señalado Manuel Aznar:

> De la romántica *paloma* doña Inés a la valleinclanesca *paloma* Daifa hay un proceso de degradación paródica plenamente conseguido[29].

Juanito la llamará reiteradamente *paloma,* pero el término en *Las galas del difunto* tiene un valor inequívoco de prostituta. Así, en una de las acotaciones leemos:

> La madre del prostíbulo aparece por la escalerilla, llenándola con el ruedo de sus faldas. Trae en la mano una palmatoria que le entrecruza la cara de reflejos. Detrás, en revuelo, bajan dos palomas.

Otro verso de los citados hace un momento del *Tenorio* se pondrá irónicamente en boca de Juanito, cuando revela a La Daifa la muerte de su padre:

> ¡Este flux tan majo le ha servido de mortaja! Me propuso la changa para darle una broma a San Pedro. ¡Has heredado! ¡Eres huérfana! *¡Luz de donde el sol la toma,* no te mires más para desmayarte!

---

28 José Zorrilla, *Don Juan Tenorio,* Madrid, Cátedra, 1984.
29 Manuel Aznar, ob. cit., pág. 48.

Y no sólo las réplicas son aprovechadas sino también la gestualidad exagerada del drama romántico. Lo mismo ocurre con otras imágenes de Zorrilla, aplicadas a doña Inés. Brígida, su dueña, la compara a una «pobre garza enjaulada». Juanito, dirigiéndose a La Madre del burdel (inversión de la Madre Abadesa), le dice en la escena séptima:

> ¡Madre priora, quiero llevarme una gachí! ¡Redimirla! ¿Dónde está esa garza enjaulada?

Inversión también en otro aspecto. No es doña Inés quien *redime* a don Juan, sino Juanito quien viene con pretensiones de redentor en atroz y corrosivo juego. No hay redención posible.

La escena tercera nos traslada al cementerio, donde Juanito anda entre las tumbas buscando la del boticario para robarle el terno. Allí se encuentra con tres pistolos famélicos. Después cenarán en casa de La Sotera en la escena cuarta. El punto de partida de estas escenas es el acto primero de la segunda parte del *Tenorio,* donde don Juan, cuando vuelve a Sevilla, conoce la muerte de doña Inés, su padre y el comendador y acude al cementerio a visitar sus mausoleos. Allí se encuentran con él el Capitán, Centellas y Avellaneda (sus contrafiguras son ahora Pedro Maside, El Bízco Maluenda y Franco Ricote), con los que mantiene un insolente diálogo, invitando finalmente a la estatua del comendador a una cena. Su altivez y bravura frente al destino deja tras él una estela de admiración. La cena tiene lugar en el acto tercero, presentándose a ella el fantasma del comendador.

En el cementerio Juanito Ventolera hace gala de su insolencia, que le lleva a no respetar ni a los muertos. Va más lejos que su modelo y despoja de su vestido a un cadáver. Acude luego a casa de La Sotera —irónico nuevo comendador— «transfigurado con las galas del difunto». Su osadía hace exclamar a Franco Ricote:

> ¡Ni el tan mentado Juan Tenorio! ¡Y tú, gachó, no hables en verso!

Con lo que evoca, como hemos dicho, el modelo literario contrahecho y a la par destaca la teatralidad de la situación.

La utilización paródica de motivos románticos es otras veces más amplia, aunque siempre buscando el ángulo imprevisto: la identidad desconocida, los plazos que se cumplen, la imposibilidad de comunicarse... son los resortes del drama romántico esperpentizados y soporte de una corrosiva crítica política realizada sobre todo a través de Juanito, que recupera el carácter realmente demoniaco y subversivo que Zorrilla había usurpado a don Juan.

Para dar unidad a su esperpento, Valle-Inclán acude, además de la presencia en todas las escenas de Juanito, a una hábil utilización de algunos objetos —«las galas del difunto»— que reaparecen trabando la acción; e introduce una carta, que tendrá un extraordinario rendimiento dramático [30]. Esta carta, introducida ya en la primera escena, reaparece en las siguientes, facilitando la unión y la relación de los personajes principales: el pistolo, el boticario, su esposa y la prostituta. Una carta que tras sinuoso recorrido vuelve y es leída en el punto donde fue escrita: el prostíbulo. El recorrido de la carta es el de la trama, enlaza lo en apariencia disperso.

Como en los ironizados dramas románticos, la casualidad —utilizada, eso sí, con sumo ingenio— campa a sus anchas, hilvanando las situaciones más dispares. Y es en el ir-venir de la carta donde se cruzan los otros objetos que tanta importancia tienen en la estructuración del esperpento: la lectura de la carta provoca la muerte del boticario, pero no sin que antes éste la guarde en el bolsillo de su terno. Al robárselo Juanito en el cementerio y ponérselo se lleva sin saberlo la carta. Completar su indumentaria y ganar de paso una apuesta le lleva a casa de Doña Terita, que se desmaya al verlo con las ropas del difunto. Una vez que le quita el dinero y completa su

[30] Un convincente análisis de la estructura en R. Cardona, *«Las galas del difunto»*, art. cit., págs. 245-250.

indumentaria, retorna al prostíbulo donde se inició la acción, donde se escribió la carta fatídica, que ahora descubre en su bolsillo.

Ni en las comedias de más sutil enredo se sacaba más partido a una carta o a un traje. Todos los cabos quedan atados y a la vez destrozados por los comentarios irónicos y distanciadores:

> Después de este folletín, los cafeses son obligados.

No es el menor de los méritos de *Las galas del difunto* la cuidada fábrica de su teatralidad, que apura manidos recursos dándoles un nuevo sentido. Todo se halla puesto al servicio no de una estética de identificación sino de distanciamiento, porque no se trata de la dramatización de un enredo como mero juego, sino de la dramatización de un penoso acontecimiento histórico: la guerra de Cuba y sus consecuencias.

LOS CUERNOS DE DON FRIOLERA

La discusión acerca del esperpento sostenida por Don Manolito y Don Estrafalario en el «Prólogo» y «Epílogo», además de la compleja estructura de la pieza, que presenta un mismo tema en tres versiones, lo han convertido en uno de los textos dramáticos valleinclanianos más atractivos para la crítica, tanto para fijar el pensamiento teatral de Valle como su puesta en práctica[31]. Y es que *Los cuernos de don Friolera* es uno de los artefactos literarios de nuestro teatro contemporáneo donde mejor ha plasmado su autor uno de los más incitantes problemas que todo escritor actual se plantea: la construcción de un texto que, a su vez, contenga en sí mismo la justificación, el porqué de su existencia. Se trata de una pieza

---

[31] Además de la bibliografía general que venimos citando —Cardona y Zahareas o Aznar—, véase: Manuel Durán, «*Los cuernos de don Friolera* y la estética de Valle-Inclán», *Ínsula,* 236-237, julio-agosto de 1966, págs. 5 y 28.

metateatral donde las consideradas *formas teatrales reflexivas* se hallan patentes con eficacia extraordinaria [32].

Para Lionel Abel, «el metateatro es la forma necesaria de dramatizar personajes quienes por conciencia de sí mismos no pueden menos que participar en su propia dramatización» [33]. Esta conciencia de sí mismos les lleva a verse representando el papel que les ha asignado la sociedad, representándose a sí mismos sin conocer hasta qué punto el hacerlo es consecuencia de una elección y hasta dónde se trata más bien de una imposición social, que provoca inevitables fracturas interiores en los personajes. Autoconciencia que puede ser situada también —como hace Schluester— en otro nivel, el de la interacción de lo real y lo ficticio en la identidad humana y las consecuencias y posibilidades que de ello se derivan en la creación artística.

No se trata tanto de una novedad del arte de nuestro tiempo cuanto de su agudización, ya que estos temas se han detectado en otros momentos, dando origen a conocidas técnicas como el *teatro dentro del teatro* con sus múltiples posibilidades. Si se acepta la terminología de Manfred Schmeling en *Metathéâtre et intertexte,* que diferencia entre *formas completas* del *teatro dentro del teatro* y *formas periféricas,* comprobamos que *Los cuernos de don Friolera* ofrece un muestrario notable y hasta un reto al crítico sobre si es pertinente esta diferenciación establecida por Schmeling o bien en la práctica se advierten zonas indecisas entre unas y otras [34].

Entre las *formas completas* diferencia Schmeling tres tipos:

1. Piezas donde los actores ficticios de la representación intercalada no son idénticos a los actores reales.

---

[32] Véase ahora, John Gabriele, «Aproximación a *Los cuernos de don Friolera*», *Quaderni di Letterature Iberiche et Iberoamericane,* 7-8, 1988, págs. 21-29. Realiza su estudio teniendo en cuenta el concepto de *metateatro* tal como ha sido definido por Lionel Abel *(Metatheatre: A New View of Dramatic Form,* Nueva York, 1963) o J. Schluester *(Metafictional Characters in Modern Drama,* Nueva York, 1979).

[33] Tomo la traducción de J. Gabriele, art. cit.

[34] Manfred Schmeling, *Metathéatre et intertexte. Aspects du théâtre dans le théatre,* París, 1982.

2. Piezas donde los protagonistas de la pieza intercalada son los mismos de la primera pieza.

3. Piezas con protagonistas íntegra o parcialmente idénticos en los dos niveles, pero con el matiz respecto al caso anterior, de que pasan de un nivel a otro.

Formas periféricas son el prólogo y el epílogo, los discursos dirigidos a los espectadores sobre todo con fines didácticos; la inclusión de un coro que comenta la representación; el aparte; la introducción de un director o conductor de la representación; o el estallido del personaje que origina que un personaje pueda convertirse en otro.

La crítica ha distinguido en *Los cuernos de don Friolera* tres partes bien diferenciadas: un prólogo y un epílogo, que enmarcan una parte central. A primera vista, cabría entonces pensar en una pieza enmarcada, comentada en este prólogo y epílogo. Pero el asunto es más complejo, ya que cada una de estas partes tiende a multiplicarse interiormente y da una versión diferente del mismo tema. Se convierten a su manera en *formas completas* del primer tipo, es decir, con una diferenciación de niveles ficticios.

Cuando el «Prólogo» se inicia, el lector encuentra a los personajes en «Las ferias de Santiago el Verde», en el corral de una posada, donde dialogaban Don Estrafalario y Don Manolito sobre cuestiones de estética. Su conversación es interrumpida por la función que El Bululú ofrece en su «teatro rudimentario y popular». Terminada la representación la comentan los dos personajes aludidos.

Y tampoco aquí acaban las duplicaciones y los niveles reflexivos, puesto que cabe anotar un nuevo nivel: la relación demiúrgica de Fidel y de su ayudante con los muñecos, que correspondería a *la forma periférica,* que apunta Schmeling como la introducción de un conductor o conductores de la representación. Lo destacará después Don Estrafalario considerándolo «superior a Yago», que como se recordará en *Otelo* era una especie de director de la representación, hasta que es desbordado por la situación. Por contra, Fidel controla completamente a sus muñecos; en palabras de Don Estrafalario:

> ese Bululú, ni un solo momento deja de considerarse superior, por naturaleza, a los muñecos de su tabanque. Tiene una dignidad demiúrgica.

El compadre Fidel habla a los muñecos y habla también por los muñecos. Es como un puente entre los diversos niveles de la ficción. Su presencia potencia grandemente la teatralidad, con lo que ésta implica de relativización por la multiplicación de los puntos de vista. Realidad e ilusión no son categorías fijas.

En el «Epílogo» la situación es más simple. Don Estrafalario y Don Manolito, a través de la reja de su prisión, ven a otro ciego, vendiendo romances. Recita uno de ellos, que contiene una nueva versión de la historia de Don Friolera. Después, los dos presos vuelven a sus comentarios. La breve escena tiene de nuevo dos planos, uno en el que se sitúan los presos como espectadores y comentaristas y otro el del ciego de los romances, cuyo recitado es una nueva y rudimentaria representación popular. De modo que, una *forma periférica* —«Epílogo»—, tiende a duplicarse, incluyendo en ella dos ficciones diferenciadas.

La parte central, por fin, ofrece otra versión del tema, ahora en clave de tragedia grotesca, con la necesaria e imprescindible distancia que ésta supone entre personaje y acción. Don Friolera, un vulgar militar, vive trágicamente lo que él considera la pérdida de su honor.

Formalmente, pues, *Los cuernos de don Friolera* ofrece una compleja teatralidad con sus diversos planos, con sus sucesivos tratamientos de un tema en claves genéricas distintas y con el resultado de que el lector llega a percatarse de la inconsistencia de los hechos en sí y cómo el punto de vista desde el que son tratados acaba imponiéndose a ellos de tal modo que la literatura llega a enmascarar lo real y tan sólo mediante una hábil presentación entrecruzada de estos modos y los pertinentes comentarios estético-satíricos de Don Estrafalario y Don Manolito se pueden mostrar lo condicionados que percibimos lo real y, por tanto, lo relativo de nuestra percepción.

Las cosas no son lo que parecen, su apariencia es engañosa. En la primera representación del tema, El Bululú le revela al fantoche teniente Don Friolera, que su querida la bolichera le ha engañado con el aceitero Pedro Mal-Casado. Para lavar su honor, la única solución que se le ofrece es matarla. La Moña insiste en su inocencia. Don Friolera huele su faldón y al encontrar en él restos de aceite, la degüella con un puñal en escena llena de ecos de *Otelo* y *El gran galeoto*[35]. A punto de llegar la guardia civil, acompañada por el aceitero, Don Friolera logra no ser prendido resucitando a la muerta por medio de un duro que hace sonar junto a ella en un último e imprevisto giro de la acción, que evidencia la artificialidad del juego, que siempre es reversible, pretexto y no fin en sí mismo. Fidel califica su función de *trigedia.*

En la parte central, se desarrolla lo apuntado. Ahora es una *tragedia.* Sus personajes son humanos aunque cosificados, de modo que sus acciones y reacciones tienen no poco de acciones de títeres. Se les coloca, además, en una especie de retablo, acentuando así también su teatralidad[36]. Ahora Don Frio-

---

[35] V. Cabrera, «Valle-Inclán y la escuela de Echegaray: un caso de parodia literaria», *Revista de Estudios Hispánicos,* mayo de 1973, págs. 193-213.

[36] La abundante utilización de terminología teatral, que remite sobre todo al teatro de títeres y marionetas, ha sido muy destacada desde Casalduero («Sentido y forma de *Martes de Carnaval»,* art. cit.) a J. M. Lavaud («Con M de marioneta y M de militar. En torno a *Los cuernos de don Friolera», Homenaje a José Antonio Maravall,* Madrid, 1985, vol. II, págs. 427-441) o Sumner Greenfield («Teatro sobre teatro: actorismo y teatralidad interior en Valle-Inclán», en *Valle-Inclán. Nueva valoración de su obra,* ob. cit., págs. 206-224). Con un sentido más general: Evelio Echevarría, «El *esperpento* y el teatro de marionetas italiano», *Hispanic Review,* 43, 1975, págs. 311-315. Y sobre la popularidad de estos espectáculos en los años veinte, el ensayo «Representaciones de muñecos», en *Nuevo escenario,* Barcelona, 1928, págs. 173-183, de E. Estévez Ortega.

lera se encuentra casado con Loreta, que es cortejada por Pachequín. Por todo el pueblo circulan los comentarios acerca de la supuesta infidelidad de Loreta, hasta el punto de que un grupo de oficiales convoca un *tribunal de honor* para velar por el decoro de la familia militar. Y para ello, deciden exigirle a Don Friolera el retiro. Los hechos van, sin embargo, más lejos. La acción se precipita y culmina con la muerte de Manolita, la inocente hija de Don Friolera y Loreta, ante la desesperación de éstos.

La versión romanceada ofrece el reverso de la medalla, ya que Don Friolera es presentado como un héroe. Se añade a lo sabido que casó con mujer coqueta haciendo caso omiso a los consejos de sus amigos; un anónimo le puso al tanto de los hechos, sorprendiendo él entonces a los amantes en casa de una celestina. Con sus cabezas ensangrentadas (promesa no cumplida en la segunda versión) se presenta ante el general de la plaza, que lo condecora por su defensa del honor.

Un tema y tres versiones con resultados contradictorios. Con todo, a pesar de las diferencias entre las tres hay similitudes que señaló Allen Phillips: la relación entre el prólogo y el epílogo con la incorporación de dos tipos de representación popular (el bululú, el romance de ciego); detalles comunes en el diálogo, que cobran todo su sentido cuando se considera la totalidad de la obra. Así, dice El Bululú:

> ¡Pícara guardia! La bolichera, mi teniente Friolera, le asciende a usted a coronel!

En la parte central, parece que la mujer del coronel engaña a éste con su ayudante.

Otras veces, son frases con cierto parecido. Así, dice la voz del fantoche:

> ¡Me comeré en albondiguillas el tasajo de esta bribona y haré de su sangre morcillas!

Con frases paralelas en la escena sexta de la segunda versión:

> ¡Loreta, pon una sartén a la lumbre! ¡Vas a freírme los hígados de ese pendejo!

O, en ocasiones, son motivos que se repiten, como *la rosa de papel* en el rodete de la bolichera, que luego es el clavel de Loreta como señala Phillips[37]. Y a esta unidad contribuye también el creciente poder de la muerte: si en la representación del bululú la muerte quedaba anulada por la resurrección de la bolichera (una situación similar ofrece el final de la *Farsa y licencia de la reina castiza),* la segunda parte culmina patéticamente con la muerte de la niña inocente y en la tercera se llega a una matanza incontrolada.

Valle-Inclán complica la composición de su esperpento, multiplicando planos y diluyendo contornos, pero a la vez somete a una unidad más profunda la obra mediante la reiteración de motivos y dando una intencionalidad a este complejo juego, que incluso en sus momentos de mayor extravagancia siempre remite a la realidad histórica española en sabia mezcla de realidad y ficción.

Más aún, la teatralidad no se agota en los niveles citados, sino que cabe analizarla en otros, ya que Valle ha elaborado la ficción con cuidado exquisito entrecruzando puntos de vista, con lo que disminuye la distancia entre la vida y el arte como ocurre con la inclusión de los personajes de Don Manolito y Don Estrafalario, espectadores del bululú y del romance de ciego y mediadores con sus apreciaciones entre éstos y el lector. John Gabriele señala con acierto cómo en la segunda parte los personajes —además de la teatralización del espacio donde se mueven, ya apuntada— tienen conciencia de ser actores de papeles impuestos, que interpretan mecánicamente, con lo que

---

[37] Allen Phillips, «El esperpento de *Los cuernos de don Friolera*», *Humanitas,* 5, 1964, págs. 309-322.

se da un parentesco con los muñecos del prólogo, movidos por el compadre Fidel; que el demiurgo sea éste o sean las convenciones sociales —no por menos visibles menos dominantes— tanto da: el personaje se ve como un actor que presta su cuerpo a una *escritura* ajena. Don Friolera acompasa su gestualidad a los desmesurados actos que debe llevar a cabo como consecuencia del funcionamiento a través de él de una serie de conceptos alienantes. Sobre todo en sus monólogos, *se pone en situación,* asume su papel, ensaya las que cree serán las escenas que seguirán a su venganza para su honor ultrajado:

> ¡Pim! ¡Pam! ¡Pum!... ¡No me tiembla a mí la mano! Hecha justicia me presento a mi coronel. «Mi coronel ¿cómo se lava el honor?». Ya sé su respuesta. ¡Pim! ¡Pam! ¡Pum! ¡Listos! En el honor no puede haber nubes. Me presento voluntario a cumplir condena. ¡Mi coronel, soy otro Teniente Capriles! Si me corresponde pena de ser fusilado, pido gracia para mandar el fuego: ¡Muchachos, firmes y a la cabeza! ¡Adiós, mis queridos compañeros! Tenéis esposas honradas y debéis estimarlas. ¡No consintáis nunca el adulterio en el Cuerpo de Carabineros! ¡Friolera! ¡Eran culpables! ¡Pagarán con su sangre! ¡No soy un asesino! [38].

La distancia entre la ficción que se forja y su situación final de desesperación es así extraordinaria. Y es que el personaje no conoce su destino ni cuando asume su papel, el papel que le imponen. El destino es azaroso y es el azar quien dirige sus balas no hacia los supuestos adúlteros, sino hacia su hijita inocente. El ser humano es un monigote movido por invisibles hilos. Ve lo que no es y actúa como no debe, porque —en palabras del propio Don Friolera— «El mundo es engaño y apariencia».

Refiriéndose a la pieza central, Cardona y Zahareas sostienen que «le permite al autor una ampliación del ámbito que

---

[38] Para detalles, véase el art. cit. de J. Gabriele.

hasta ahora había recibido la teoría estética enunciada por Don Estrafalario e introducir una dimensión más: la perspectiva histórico-social» [39].

Y lo sostienen tanto con referencia al carácter de *héroe moderno* de Don Friolera (la ya citada desproporción entre personaje y acción) como el análisis de la sociedad española que se realiza en el esperpento, censurando su fanatismo calderoniano, que conduce a matar por honor y mucho más todavía cuando se pertenece a la gran familia militar, de la que se da una irónica imagen en las escenas siguientes.

En realidad, la perspectiva histórico-social se halla ya presente en el «Prólogo» y no sólo referida a una situación general, sino incluso con guiños a la política del momento, tal como ha sugerido Jean Marie Lavaud, analizando el prólogo y el epílogo [40]. Los desdoblamientos en la ficción, en ambos casos con sus representaciones comentadas por los espectadores ficticios, le llevan a indicar el posible modelo cervantino del Retablo de Maese Pedro, cuyas funciones dan lugar también a consideraciones y reflexiones estéticas en quienes las contemplan. Pero, además, dentro de estas discusiones de *Los cuernos* se alude a Cervantes al hablar de «Un Orbaneja de genio» o, al final, al referirse a que no ha servido para nada *El Quijote* puesto que se vive todavía en el mundo de la novela de caballerías. Este «Orbaneja de genio» es un revelador que viene a indicar que cuenta tanto la obra de arte como las reflexiones que provoca. El cuadro contemplado lleva a cuestiones generales de estética, pero también sobre la situación española, como parece deducirse de un análisis más sutil del término «Orbaneja», según el cual Valle-Inclán se estaría refiriendo a Primo de Rivera y Orbaneja, quien a la altura de 1921, momento de publicación de *Los cuernos de don Friolera,* gozaba de un cierto

---

[39] R. Cardona y A. Zahareas, *Visión del esperpento,* pág. 121.

[40] Jean Marie Lavaud, «Prologue et Epilogue de *Los cuernos de don Friolera.* De *Don Quichotte* a Primo de Rivera», *Les Langues Neolatines,* 240, 1982, págs. 19-29.

prestigio por sus opiniones frente a temas como la relación con Marruecos, asunto sobre el que se había manifestado partidario del puro y simple abandono. De ser correcta esta propuesta de lectura, es como si Valle presintiera hasta dónde conducía la glorificación de Primo de Rivera y hubiera comenzado ya sus ataques contra él, contra este «Orbaneja de genio» cuya presencia en la vida política empezaba a ser peligrosa, pues era defensor de un regeneracionismo más aparente que real. De aquí la irónica alusión: «¡Sólo pueden regenerarnos los muñecos del compadre Fidel! ¡Con decoraciones de Orbaneja!».

Frases de donde se deducen posibles lecturas maliciosas: tal vez se refiere a las *Condecoraciones* del general, ridiculizándolas, o tal vez al posible tinglado político que se podía tramar a su alrededor dirigido por él, con sus *decoraciones*.

Lo que parece claro es que desde el principio tiende a impregnarse todo el esperpento de un cáustico espíritu crítico desmitificador sin necesidad de llegar a la segunda parte. Del prólogo al epílogo se recorrerá el camino que va de la alusión tácita y sutil a la denuncia directa e inmiscricorde, que en la versión definitiva, además, se intensifica todavía más.

Un tercer aspecto —junto a la teatralidad y el carácter comprometido de la realidad española— nos resta por analizar: el debate estético entre Don Manolito y Don Estrafalario[41].

Sus posiciones se hallan encontradas, pues mientras Don Manolito defiende una estética sentimental, Don Estrafalario sostiene la necesidad de superarla:

> DON MANOLITO.—Hay que amar, Don Estrafalario. La risa y las lágrimas son los caminos de Dios. Ésa es mi estética y la de usted.
>
> DON ESTRAFALARIO.—La mía no. Mi estética es una superación del dolor y de la risa, como deben ser las conversaciones de los muertos al contarse historias de los vivos.

---

[41] Todos los críticos que se han ocupado de la definición del esperpento se han referido necesariamente a estas escenas. Remito por ello a la bibliografía final, que acompaña esta introducción.

Don Estrafalario querría «ver este mundo con la perspectiva de la otra ribera», con la debida distancia para evitar identificarse con lo que está viendo y colocado en una posición superior. De otro modo se está, como Don Manolito, en el mismo nivel de lo contemplado y, por tanto, en condiciones que no permiten superar la risa y el llanto como pretende Don Estrafalario. En esta superación del dolor y de la risa consiste el esperpento. Por ello, admirará al compadre Fidel que, investido de una dignidad demiúrgica, es decir, manteniendo el distanciamiento, maneja sus muñecos y ni un solo momento deja de considerarse superior, por naturaleza, a ellos. Como señala Manuel Aznar:

> En el esperpento, por tanto, el distanciamiento artístico implica la superioridad del autor sobre el personaje: el autor es elevado a la dignidad de demiurgo y el personaje es degradado a la condición de fantoche. Y esta dignidad demiúrgica del compadre Fidel es, como bien dice Don Manolito a Don Estrafalario, la que «usted echaba de menos en el Diablo de mi Orbaneja» [42].

El compadre Fidel se divierte incitando a Don Friolera a que mate a su mujer, se divierte y subvierte una serie de valores, en especial el código del honor calderoniano, que domina todavía en el teatro castellano como herencia del teatro áureo. Y en este sentido, el tabanque del compadre Fidel le resulta más sugestivo que todo el retórico teatro español.

El debate estético se retoma en el «Epílogo», tras escuchar desde la cárcel el romance de ciego. Don Estrafalario repudia no sólo el romance sino toda la literatura popular que está en su misma órbita, la literatura popular que él considera «judaica, como el honor calderoniano», esto es, la literatura que impone unos valores cerrados sobre sí mismos e intolerantes. Por contra, vuelve a recordar el espectáculo malicioso y popu-

---

[42] Manuel Aznar, ob. cit., pág. 54.

lar. Don Estrafalario —que acaso no sea excesivo identificarlo con la posición de Valle-Inclán—, apuesta por una literatura que subvierta valores, carnavalizada como se dice ahora, una literatura desmitificadora que abra los ojos a la realidad y no que los cierre. Y de aquí su lamentación de que no hayan servido para nada ni *Don Quijote* ni las guerras coloniales, sino que se sigue sin salir de los libros de caballerías —con su visión idealizadora y falseadora de lo real— y por lo tanto glorificando falsos heroísmos como en el romance de ciego o en la realidad a los responsables de las guerras coloniales. El romance de ciego convertía a Friolera en un héroe nacional al que el propio rey nombra ayudante para honrar su comportamiento calderoniano. La España oficial se sigue valiendo de patrones falseados, que hacen que se dé una situación paradójica: que los españoles en la literatura oficial sigan apareciendo «como unos bárbaros sanguinarios» cuando en realidad «somos unos borregos».

LA HIJA DEL CAPITÁN

Es el esperpento que tiene unos referentes históricos más precisos, sobre todo el crimen del capitán Sánchez, ocurrido en 1913, y el golpe de Estado de Primo de Rivera del 13 de septiembre de 1923, que dio comienzo al Directorio Militar, presidido por él.

Dos acontecimientos separados en el tiempo, pero de los que Valle-Inclán se sirvió hábilmente para urdir su esperpento, partiendo de que en los dos hubo una desdichada participación de miembros del ejército español.

Si el primero formaba ya parte del recuerdo en el momento de la escritura de la pieza, el otro estaba en plena actualidad al continuar vigente la dictadura resultante del golpe militar. Y prueba inequívoca de que a pesar de situar la acción en una supuesta Tartarinesia fue entendida como una crítica al régimen primorriverista, es la orden de recogida de la edición dictada por las autoridades, como ha quedado explicado al referirnos a los avatares de los textos.

Valle-Inclán no había dejado de mostrar su desagrado por la dictadura desde su implantación y ya entonces escribió a M. Azaña en estos términos:

> En la cuestión política estoy muy desorientado. A mí esta gente del Directorio me parecen unos sargentos avinados y varateros *(sic)*. La contestación a los presidentes de las Cámaras es una flor del más puro rufianismo [...]. Porque muy idiota hay que ser para no alcanzar que esta gente militar —¿gente?— son unos asnos con piel de león. Es tan ridículo todo lo que está pasando. Indudablemente los presidentes de las Cámaras, no esperaban que el Chulo de Palacio tomase en cuenta su escrito, y acaso sólo buscaba acentuar el perjuicio, con vistas al extranjero, donde no ha de mirarse con buenos ojos un poder irresponsable[43].

La hija del capitán despeja cualquier duda acerca de cuál fue su actitud desde su primera versión publicada en Buenos Aires.

El crimen del capitán Sánchez, que por su extraordinaria truculencia y las circunstancias que rodearon su esclarecimiento mantuvieron durante meses en vilo a la opinión pública española, le proporcionó a Valle-Inclán el bastidor sobre el que tejió su sátira de la actualidad política española, como ha sido estudiado por Cardona y Zahareas o Manuel Aznar, entre otros[44].

Este crimen cometido por el capitán Sánchez y su hija se solucionó gracias a la habilidad investigadora del periodista Francisco Serrano Anguita, quien partiendo de la información facilitada por *El Imparcial* (3 de mayo de 1913) sobre la desaparición

---

[43] Carta fechada el 16 de noviembre de 1923 y dada a conocer por Dru Dougherty en *Ínsula,* 419, octubre de 1981, pág. 12.

[44] R. Cardona y A. Zahareas, *Visión del esperpento,* ob. cit., págs. 203-206. M. Aznar, ob. cit., págs. 73-75.

misteriosa de un jugador habitual del Círculo de Bellas Artes, fue capaz de desentrañar el asunto, demostrando que había sido asesinado[45]. El texto de *El Imparcial,* titulado «Suceso misterioso. Desaparición de un caballero», comentaba:

> Hace ya varios días tuvimos noticia de un suceso que parecía envuelto en los velos de los sensacionales crímenes misteriosos; tratábase de la desaparición de un conocido caballero en circunstancias que podían dar lugar a la sospecha de algún acontecimiento trágico.

Y relataban a continuación que el «Sr. J.» se había presentado el 24 de mayo en el Círculo de Bellas Artes, para depositar 5.000 pesetas porque —dijo al encargado— «voy a un sitio adonde no me conviene llevarlas». Horas más tarde se presentó «una mujer como de veinte años, de rostro agraciado y exuberantes formas» a cobrar con el resguardo oportuno las «quinientas» pesetas depositadas de orden del «Sr. J.». El error en la cantidad sorprendió al cajero, que se negó a pagarlas. Marchose la mujer y entonces la siguió el botones, que «vio cómo la individua se reunía en la esquina de la calle Allabán con dos sujetos de tipo chulesco, que se fueron con ella por la solitaria vía».

La ausencia del «Sr. J.» de su domicilio fue denunciada. Se supo que tenía relaciones con una mujer, «L. M.», que fue identificada como la mujer que había ido a cobrar las 5.000 pesetas. Ella, sin embargo, lo negó «con firme obstinación». El artículo concluía:

> todo es extraño, oscuro y casi inexplicable en el suceso que tardíamente pero con tanta dramática intensidad, comienza a preocupar a Madrid.

---

[45] Francisco Serrano Anguita publicó años más tarde un libro sobre el tema: *Yo descubrí el crimen del capitán Sánchez,* en *La Novela Corta,* 14, Madrid, 1943.

Hasta aquí *El Imparcial*. Otros periódicos madrileños se hicieron eco, completando datos del dcsaparecido: de edad madura, con bigote, de cuidado aspecto físico. Frecuentador de prostíbulos y tugurios de juego. Miembro del Círculo de Bellas Artes donde había depositado las inquietantes 5.000 pesetas.

Se completaron también los datos de la joven: se llamaba María Luisa Sánchez y era una atractiva joven rubia; era hija de un capitán de la Escuela Superior de Guerra de Madrid (plaza del Conde de Miranda); de aquí el sobrenombre pronto habitual en la prensa de «la hija del capitán»; y pronto también se mencionaron sus escapadas de la casa paterna con amantes ocasionales [46] o se le atribuyó una relación incestuosa con su padre [47], lo cual añadía tintes cada vez más morbosos al asunto e introducía un nuevo personaje, el capitán Sánchez, que al ser militar daba una dimensión política a la investigación.

Si al principio del *affaire* éste se había amparado en su honestidad y en su brillante trayectoria militar desde simple soldado voluntario en la guerra de Cuba hasta su cargo actual, ahora los periódicos revelaban su carácter violento, su complicidad en la irregular vida de su hija o que su casa era un tugurio de juego ilegal. *España Nueva* lo consideró en uno de sus artículos «el hombre fiera». Era jugador empedernido y alcohólico. Y de Galicia llegaron noticias en que se le atribuían chantajes e incluso la desaparición de un hombre.

Todo se confirmó cuando apareció en la vivienda que ocupaba el capitán Sánchez en la Escuela Superior de Guerra el cadáver de Jalón hecho pedazos. Sánchez había tratado de deshacerse de él troceándolo y arrojando los trozos al alcantarillado de la ciudad desde su propio domicilio. Y por si fuera poco, había ocultado con un tabique sus vestidos.

Los periodistas hablaron entonces de que era el «crimen más horrendo, más monstruoso, más refinadamente cruel que

---

[46] «María Luisa y sus fugas», *España Nueva* (9 de mayo de 1913).

[47] En *El Imparcial* (23 de mayo de 1913).

se recuerda en Madrid desde muchos años» (Serrano Anguita, en *España Nueva).*

La literatura macabra y espeluznante tan de moda en aquel momento quedaba reducida a nada comparada con los hechos ahora descubiertos. Imposible sintetizar aquí el río de tinta que produjo el asunto y el subsiguiente proceso donde la defensa trató de probar la locura de su defendido, que lo convertiría en irresponsable de sus actos. Pero la acusación mantuvo la idea del robo como móvil principal, que por otro lado era evidente con la tentativa de cobrar la ficha del Círculo de Bellas Artes o el empeño de las joyas de Jalón intentado después.

Hay un aspecto, con todo, que quiero destacar: la investigación periodística llevada a cabo por Serrano Anguita y Pepe Quílez en *España Nueva,* periódico que contribuyó decisivamente al esclarecimiento de los hechos. Firmaban estos periodistas sus artículos con los seudónimos de «Tartarín» y «Nick Samson» [48]. La literatura policiaca estaba entonces de moda y personajes como Nick Carter o Raffles eran bien conocidos por los lectores. Los periodistas adoptaron en sus crónicas cierto tono y técnica policial, que convertían todavía en más misterioso y morboso el crimen, señalando con minucia los detalles más horribles, por ejemplo, el estado en que fue encontrado el cadáver dc Jalón.

Valle-Inclán mantendrá en su pieza dramática este carácter de investigación policiaca. Es aspecto poco tenido en cuenta hasta ahora, ya que quienes se han acercado a *La hija del capitán,* más que estudiar sus raíces genéricas han polarizado su atención en aspectos ideológicos y políticos. Al hablar de la estructura del drama, sin embargo, habrá ocasión de señalar cómo se inscribe este drama esperpéntico en la serie del drama

---

[48] La serie de artículos se inicia el 4 de mayo con «Suceso misterioso», firmado por «Tartarín» (Serrano Anguita) y «Nick Samson» (Quílez), y se prolonga hasta el 4 de noviembre. Otros periódicos, como *El Imparcial,* dedicaron amplio espacio al asunto.

policiaco en cuanto a su construcción y en lo granguiñolesco en su temática sin que ello vaya en detrimento de su incisiva sátira política.

Como el capitán Sánchez pertenecía a la Armada, la investigación encontró numerosas dificultades. Desde los primeros interrogatorios, el capitán vestido de uniforme acompañó a su hija, protestando por la injuria que se cometía contra su honor (y por extensión contra el de la Armada), implicándolos en el asunto. Su apariencia honorable produjo vacilaciones al comienzo en los jueces. Sin embargo, el pundonor y la insistencia de los periodistas —sobre todo los de *España Nueva*— forzaron a seguir con las investigaciones. Por contra, algunos periódicos de sectores muy conservadores como el clerical *El Siglo Futuro* o *El Correo Español* trataron de frenar las averiguaciones sosteniendo que se estaba montando una campaña para desacreditar a la Armada. Los últimos días de mayo todavía da cuenta *El Imparcial* de las dificultades encontradas para obtener información, incluso una vez comenzado el juicio, pues apenas se permitía acceder a la sala a unos pocos periodistas. Finalmente, la verdad prevaleció y los asesinos fueron condenados.

El uso literario que Valle-Inclán hizo del asunto fue amplio, pero no con unos criterios arqueologistas, aunque su buena memoria y la cercanía de los hechos lo facilitaban. Eran muy otros sus fines.

Los rasgos físicos de La Sinibalda proceden de María Luisa Sánchez; es robusta y su rubio cabello —que las crónicas habían recalcado— se mantiene en *La hija del capitán;* sus costumbres ahora no ofrecen duda alguna, se insiste en que es una golfa experimentada y decidida, de pasiones primarias —como lo muestran sus relaciones con el Golfante— y avara.

Algo parecido ocurre con su padre, jugador empedernido e interesado en que tenga amantes de economía saneada. El juego, que ya tenía importancia en los móviles del crimen de Jalón, no sólo sigue ocupando este lugar sino que en cierto modo es uno de los elementos estructuradores fundamentales. Su carácter de «hombre fiera» permanece y también lo truculento:

> EL COSMÉTICO.—Por algo es Chuletas de Sargento.
> EL HORCHATERO.—Esa machada se la cuelgan.
> EL COSMÉTICO.—¿Que no es verdad y está sumariado?
> EL HORCHATERO.—Las ordenanzas militares son muy severas, y los ranchos con criadillas de prisioneros están más penados que entre moros comer tocino. Tocante al capitán, yo no le creo hombre para darse esa manuntención.
> EL TAPABOCAS.—¡Que no fuese guateque diario, estamos en ello! Pero él mismo se alaba.

Y el pasado cubano del capitán Sánchez también es utilizado. Sinibaldo presume de sus condecoraciones; la ambientación de la casa tiene un cierto aire caribeño: sillones de bambú, una negra mucama, etc. Las acotaciones iniciales de las primeras escenas dan buena cuenta de esta decoración tropical, así en la segunda:

> Lacas chinescas y caracoles marinos, conchas perleras, coquitos labrados, ramas de madrépora y coral, difunden en la sala nostalgias coloniales de islas opulentas. Sobre la consola y por las rinconeras vestidas con tapetillos de primor casero, eran faustos y fábulas del trópico. El loro dormita en su jaula...

Las analogías son sencillamente abrumadoras en esta pareja de personajes. Por contra, la víctima del crimen se halla más desdibujada. Jalón ha dado lugar a un «viejales pisaverde» al que le falta el empaque del modelo, aunque mantiene su afición por las mujeres y el juego, que a la postre será su perdición convenientemente adobada y manteniendo siempre la famosa ficha de juego, que permitirá deshacer todo el embrollo.

También en otros aspectos utilizó Valle-Inclán datos de lo ocurrido. Un par de ejemplos. Cuando se produjo el crimen del capitán Sánchez, como se ha visto, lo misterioso del suceso provocó las opiniones más dispares. Valle las pone en boca de personajes populares como El Camastrón o El Chulapo. O, cambiando los nombres de los periódicos, recrea el papel jugado por la prensa en la investigación del caso. No es excesivo sustituir *El Constitucional* por *El Imparcial* o *España Nueva* y las crónicas del suceso, que también hemos citado, por «el folletín del hombre descuartizado y la rubia opulenta» que se cita en el esperpento. En boca de los vendedores se ponen estos gritos:

> *¡El Constitucional! ¡Constitucional! ¡Constitucional! ¡Clamor de la Noche! ¡Corres! ¡Heraldo! ¡El Constitucional,* con los misterios del Madrid Moderno!

Particularmente la referencia a «los *misterios* del Madrid Moderno» es un índice genérico que hay que tener en cuenta junto con el antes indicado de «el *folletín»;* Valle-Inclán, como de costumbre, muestra los registros genéricos en que se mueve aunque sea para destrozarlos, como medios y no como fines.

Valle presenta un muestrario ampliado del Madrid *misterioso,* es decir, personajes provenientes del hampa o de niveles sociales acomodados que por sus costumbres inmorales son capaces igualmente del crimen o de la estafa. Y esta presentación en confusa mezcla de altos mandos del ejército con hampones hace todavía más demoledora su crítica. Como hemos visto, en otras obras había procedido a nivelaciones similares, explicando el origen de la nobleza en el bandidaje en *La cabeza del dragón* o el enriquecimiento de ciertos personajes por el fraude en otras piezas de MARTES DE CARNAVAL.

Y paradójicamente, de este mundo inmoral y para frenar las investigaciones, saldrá el personaje que con el pretexto de acabar con la corrupción y la inmoralidad, dará un golpe de Estado: el general Miranda.

Toda la crítica ha señalado que éste no es sino una contrafigura del general Primo de Rivera, que se hizo con el poder tras el golpe de Estado, que siguió al demagógico y retrógrado manifiesto patriótico del 13 de septiembre de 1923:

> Ha llegado el momento... de recoger las ansias, de atender al clamoroso requerimiento de cuantos, amando la Patria, no ven para ella otra solución que libertarla de los profesionales de la política, de los hombres que por una razón u otra nos ofrecen el cuadro de desdichas e inmoralidades que empezaron en el año 98 y amenazan a España con un próximo fin trágico y deshonroso.
>
> [...] No tenemos que justificar nuestro acto, que el pueblo sano demanda e impone. Asesinatos de prelados, ex gobernadores, agentes de la autoridad, patronos, capataces y obreros; audaces e impunes atracos; depreciación de la moneda, francachela de millones de gastos reservados, sospechosa política arancelaria, por la tendencia y más porque quien la maneja hace alarde de descocada inmoralidad, rastreras intrigas políticas tomando por pretexto la tragedia de Marruecos, incertidumbre ante este gravísimo problema nacional, indisciplina social, que hace el trabajo ineficaz y nulo, precaria la producción agrícola e industrial; impune propaganda comunista, impiedad e incultura, justicia influida por la política, descarada propaganda separatista, pasiones tendenciosas alrededor del problema de las responsabilidades...

Transcribo este fragmento porque ayuda a entender mejor el tipo de réplicas que en las últimas escenas rodean el golpe militar de *La hija del capitán,* remedo paródico de lo ocurrido históricamente. Los valores evocados son los mismos: Religión, Patria, moralidad, orden. Es como si la escena sexta, donde el general Miranda explica su decisión, fuera una dramatización de este documento.

Al referirme a *Los cuernos de don Friolera* ya he señalado cómo sus alusiones a un «Orbaneja de genio» son dardos dirigidos contra Primo de Rivera y Orbaneja. Ahora lo hace de forma mucho más directa, aunque en la versión de 1927 hubiera tenido que situar la fábula en una supuesta Tartarinesia, que fue con todo bien comprendida.

El golpe de Estado se preveía en los meses anteriores sobre todo a raíz de la petición de responsabilidades por las desastrosas campañas de Marruecos. Primo de Rivera halló por ello un clima favorable a su actuación en el propio rey, en el ejército —en especial en la Armada— y en los sectores conservadores de la sociedad española. Pudo canalizar sin dificultad el descontento de los altos mandos del ejército, que estaban inquietos y descontentos tras su desastrosa campaña militar africana. Curiosa pero paradójicamente, él, que se había mostrado crítico con ciertos comportamientos habidos en Marruecos, asumía ahora la dirección de sus compañeros, haciendo gala de un corporativismo vergonzante. El manifiesto citado indica con gran cinismo que eran sus propios compañeros de armas quienes le habían honrado «con la difícil misión de encauzar la reconstrucción de la Patria». En sus discursos y declaraciones posteriores invitó con frecuencia a seguir las pautas marcadas, introduciendo además en estos mensajes unas peculiares referencias, que Valle tampoco desdeñará. Así, por ejemplo, solía apelar a la *masculinidad* o *virilidad* de su movimiento, que aparece ahora en algunas réplicas de *La hija del capitán.* Valle ridiculiza esta identificación entre patriotismo y atributos viriles. Hará que se oiga gritar: «¡Viva el Rey con todos sus atributos viriles!».

Rodea las últimas escenas de este modo de una especie de flamenquismo en el que Valle proyecta no poco de la imagen popular que circulaba en torno a Primo de Rivera, que arrancaba de su origen andaluz, su afición al vino y a las mujeres, que le crearon no pocas situaciones incómodas como su sonada y arbitraria intervención en el asunto de La Caoba, una conocida cortesana por quien llegó a suspender de empleo y sueldo al juez que trató de detenerla.

Como Primo de Rivera, el general Miranda identifica sus intereses con los de la Patria y viceversa, hasta el punto de que llegará a decir:

> soy un patriota y sólo me mueve el amor a las instituciones... no me mueve la ambición sino el amor a España... En estos momentos me debo por entero a la Patria.

Situación que no deja de ser paradójica, puesto que el dictador reclama, además, comprensión y agradecimiento por serlo, por su sacrificio:

> ¡Me sacrificaré una vez más por la Patria, por la Religión y por la Monarquía!

Y apoyándose en esta pervertida consideración del patriotismo no dudará en suprimir el Parlamento y en amordazar la prensa. «Patria, Religión y Monarquía» era el lema de la Unión Patriótica, que arropó políticamente a Primo de Rivera y Valle-Inclán presenta con claridad estos tres conceptos como soportes del general Miranda y la multitud que viene a acogerle.

Valle no plantea así el asunto, sino que lo hace derivar todo del crimen del Pollo de Cartagena, que amenaza con poner al descubierto asuntos más escabrosos; pero hace inevitable la lectura sesgada del drama y su extravagante fábula le sirve para mostrar el uso hipócrita que se hace de ciertos valores idénticos en la trama folletinesca y en la historia española. Valores que se identifican con la propia conveniencia y situación, degradándose por completo. Como señala Manuel Aznar, además,

> Sólo tras la lectura de la escena última entendemos el objetivo final de la crítica en *La hija del capitán,* que no se reduce a la esperpentización de Primo de Rivera y su golpe de Estado sino que alcanza también a los valores, instituciones y fuerzas sociales que lo apoyan. Las acotaciones de la escena última nos sitúan en una atmósfera guiñolesca en donde los personajes gesticulan y componen el retablo grotesco de la España golpista: el Obispo, el Coronel, la Comisión de Damas de la Cruz Roja y chisteras y levitas aristocráticas [...] aguardan la llegada del tren real. La Sini y El Golfante [...] contemplan desde la sala de espera el teatro del andén. Valle-Inclán no se priva de sacar a escena al Rey como un fantoche más del retablo guiñolesco, un Rey que no va a cumplir ahora la fun-

ción «ejemplar» que ejerce en el teatro calderoniano, sino que va a actuar como un títere más de este grotesco guiñol nacional para aprobar el golpe de Estado, tal y como sucedió en la realidad de 1923[49].

El general Miranda cataliza en su persona toda una situación histórica, es la encarnación metafórica de la dictadura primorriverista con todas sus implicaciones. El Golfante y La Sino no salen de su asombro, sabiendo como saben de dónde arranca el pretexto —no las causas— del golpe:

LA SINI.—¡Don Joselito de mi vida, le rezaré por el alma! ¡Carajeta, si usted no la diña, la hubiera diñado la Madre Patria! ¡De risa me escacho!

Valle-Inclán ha unido así dos acontecimientos dispares, pero que tienen en común el triste papel jugado por los militares del ejército español degenerados en sus costumbres, pero que amparándose en sus galones pretenden mantener una imagen de honorabilidad inexistente, residuo de tiempos pasados. La degenerada familia militar se apiña inútilmente con ciega solidaridad corporativa («Mientras la honra de cada uno sea la honra de todos, seremos fuertes»), pues los hechos desmienten sus palabras altisonantes y Valle introduce los suficientes recursos irónicos como para que su pose y sus discursos resulten ridículos.

Por todo ello cabe concluir con Carlos Seco Serrano que

La hija del capitán envolvía un ataque total: contra el Dictador y contra el estamento militar en su conjunto; contra el pronunciamiento de 1923... y el Régimen que trajo; contra el Rey, en fin, y contra los sectores sociales en que aquél se apoyaba[50].

---

[49] M. Aznar, ob. cit., pág. 79.

[50] Carlos Seco Serrano, «Valle-Inclán y la España oficial», *Revista de Occidente,* 44-45, noviembre-diciembre de 1966, pág. 220.

Ya he indicado más arriba que el evidente contenido político del esperpento ha perjudicado su análisis literario como no sea para realizar anotaciones acerca de su lenguaje castizo o las homologías entre el discurso de los personajes y el discurso político con que Primo de Rivera justificó su golpe de Estado. Unas referencias al drama policiaco y al Grand-Guignol creo que arrojan luz sobre los moldes genéricos a los que ha recurrido en esta ocasión Valle-Inclán, subvirtiéndolos junto con otros indicados en el texto y la consabida calificación de esperpento.

En la primera escena, en medio del apasionado diálogo entre El Golfante ciego de amor por La Sini, ésta exclama: «¡Vaya un folletín!». Los une un amor tan canallesco como imposible, un amor irisado de resonancias románticas. La Sini es una mujer fatal, de la estirpe de La Pepona de *La cabeza del Bautista,* que desquicia a El Golfante, quien asesinará a El Pollo de Cartagena, pensando que en realidad mata al amante de La Sini. El diálogo que sigue a su crimen es una muestra estilizada de este canallesco romanticismo degradado: lamenta su crimen, que ha cometido «por obrar ciego» (de amor), y se ve llevado a presidio por su pasión.

La exclamación de La Sini —«¡Vaya un folletín!»— no puede ser más precisa, pues el folletín es la estética del exceso y la fatalidad. Un *sino* fatal persigue a El Golfante y todavía en la escena última mantiene esta misma actitud y presiente que no podrán escapar y serán detenidos.

Cuando ya comienza a adivinarse el crimen o al menos lo anómalo de la situación, los vendedores de periódicos aluden dos veces —principio y fin de la escena quinta— a «los misterios del Madrid Moderno», que es otra manera de nombrar lo folletinesco y remite a la misma tradición decimonónica [51].

---

[51] Véase al respecto, Leonardo Romero Tobar, *La novela popular española del siglo XIX,* Madrid, 1976, en especial, para el término *misterio,* págs. 48-50. Para su uso referido al teatro, véase mi ensayo «La censura teatral en la época moderada: 1840-1868. Ensayo de aproximación», *Segismundo,* 39-40,

Con su reclamo propagandístico tratan de atraer a unos lectores familiarizados con la tradición, ofreciéndoles un caso *misterioso,* que sin duda les interesará.

Y aún hay otro momento *metateatral,* es decir, de reflexión genérica, en la misma escena quinta, que merece comentario. El Camastrón, apelativo quc quiere decir astuto y con experiencia, filtrando las informaciones que va recibiendo, exclama en un momento dado:

> Afirmemos el folletín del hombre descuartizado y la rubia opulenta. ¡Ese duelo es una comedia casera! No admitamos esa noñez.

A esa altura de la escena, con su capacidad de análisis, intuye ya por donde han ido realmente los acontecimientos: por el folletín truculento. Rechaza la versión de El Repórter de que Don Joselito está agonizante como consecuencia de un duelo, tema muy propio de la *alta comedia,* pero no de un *folletín truculento;* sería demasiado suave y manido, esto es, de *comedia casera.* Adquiere El Camastrón en ese momento cierta *dignidad* demiúrgica, filtra como nadie la información y neutraliza con facilidad los comentarios de los otros. Llegará a engañar con la verdad: «¡El hombre descuartizado!».

Son todos ellos índices que nos aproximan a los géneros populares inmediatos a los que remite más directamente el texto: el drama policiaco y el Grand-Guignol. Los dos conectan con esta literatura anterior en cuanto que el drama policiaco consiste básicamente en desvelar un *misterio,* un *arcano,* algo secreto y el Grand-Guignol atiende, además, a otro aspecto, que suele ir junto: lo truculento. De ambos aprovecha recursos, ya que los conocía bien y estaban en aquel momento

---

1984, págs. 193-231, en especial, págs. 209-210. Y «Melodrama y teatro político en el siglo XIX. El escenario como tribuna política», *Castilla,* 14, 1989, págs. 129-149, en especial, págs. 137-140.

desde que empezaron a difundirse, el Grand-Guignol hacia 1907-1908 y el drama policiaco no mucho después[52].

La hija del capitán no puede ser analizada tomando como referencia estos géneros. Es la dramatización de un crimen espeluznante y de parte del proceso de su esclarecimiento. En la vivienda del capitán Sinibaldo confluyen y se mezclan varios personajes de doble vida, ya que lejos de ser honorables ciuda-

---

[52] Son dos géneros populares ignorados por la historiografía literaria española, que analizo en mi libro: *Valle-Inclán y el Grand-Guignol: la estética de la crueldad* (en prensa). El Grand-Guignol comenzó a funcionar en París en 1896. Tras algunos titubeos se especializó en espectáculos truculentos mediante los que se pretendía aterrorizar al espectador. Otra de sus vertientes, con todo, fue cómica y en cierto modo resultante de la parodia de los mecanismos de la literatura terrorífica. Valle-Inclán cultivó ambas direcciones. El Grand-Guignol tuvo tanto éxito que surgieron compañías especializadas que visitaban diversos países. Fue como llegó a España, aparte de las noticias de la prensa, los comentarios de quienes habían asistido a sus funciones o las ediciones traducidas de los textos de su repertorio. La más célebre campaña de Grand-Guignol dada en los teatros madrileños fue la de la compañía de Alfredo Sainati y Bella Starace-Sainati en mayo-junio de 1912, en el teatro de la Comedia. El drama policiaco es una de las derivaciones del auge de la literatura policiaca en España desde comienzos de siglo, en que Wells o Conan Doyle empiezan a ser publicados en los periódicos. Hacia 1907-1908 *Raffles* o *Sherlock Holmes* eran ya populares y no tardaron en ser convertidos en personajes de melodrama. A su éxito se sumó pronto el de obras como *El misterio del cuarto amarillo,* de Gaston Leroux, *Nick Carter* o *Jimmy Samson.* Y, cómo no, las correspondientes parodias: *Aventuras de Nic-Pery-cut, el último de los detectives,* de Luis de Tapia (en *Blanco y Negro,* 5 de marzo de 1911) o las constantes parodias de Loreto Prado de los melodramas de más éxito. La producción fue copiosa. Unos ejemplos tan sólo de ediciones: *Raffles,* por Gil Parrado (1911); *La captura de Raffles* (1912), por Luis Millà y Guillermo Roura; *Nick Carter* (1913), de A. Bisson y G. Livet; *La muñeca trágica* (1913), de Carlos Allen-Perkins, «melodrama policiaco»; *Nadie más fuerte que Sherlock Holmes* (1913), de Luis Millà y Guillermo Roura; *Jimmy Samson* (1916), de P. Amstrong; *Sebastián el bufanda o el robo de la calle Fortuny* (1918), «película policiaca en cuatro actos», de José Ignacio de Alberti y Enrique López Alarcón; *Fantomas,* de Gervais y Musset, «melodrama detectivista»; *Tristán o un bandido de gran mundo,* de Juan B. Enseñat, etc. Y a veces, dramatizaciones de crímenes: *El crimen de la calle de Leganitos,* de Mariano Pina Domínguez y Emilio Mario (hijo). Y todo ello sin olvidar el auge del cinematógrafo, que pronto hizo uso abundante de estos temas.

danos como aparentan, son jugadores y mujeriegos. Un error hace que El Golfante, pretendiente de la hija del capitán, en lugar de acuchillar al general con quien se halla amancebada, mate a don José, El Pollo de Cartagena. Los afectados por el crimen tratan de capear la situación como pueden. Es un crimen pasional, pero truculento. Se presenta el cadáver con el cuello cercenado en medio de un charco de sangre y, sobre todo, los asesinos utilizan un lenguaje que da un mayor patetismo a la situación: el capitán habla de deshacerse del fiambre «facturándolo» al estilo americano o después, con macabro humor:

> Si usted prefiere lo nacional, lo nacional es dárselo a la tropa en un rancho extraordinario.

La frialdad de los personajes acentúa el patetismo, así como el despojo a que es sometido por los asesinos faltos de escrúpulos. Las escenas primera a tercera recogen la preparación y consumación del crimen, precedido de premoniciones entre las que sobresale la inocente alusión de El Pollo de Cartagena cuando alude en broma a un proyecto de cometer un crimen, ignorante de que existe y que será él la víctima equivocada.

Las escenas cuarta y quinta desvelan el crimen. Valle-Inclán parte de una peculiar situación: el lector sabe desde el primer momento quién y por qué ha cometido el crimen y, también, cuáles son las pruebas: la cartera del muerto —en especial la ficha de 5.000 pesetas—, y sus alhajas. La ficha había sido ya mencionada al comienzo de la segunda escena y al final de la escena tercera se la lleva La Sini con las alhajas.

Los avatares de las pruebas del crimen son el motor de las dos escenas siguientes, concebidas como un proceso hacia la aclaración del crimen, que no se producirá por el nuevo rumbo que da a la obra Valle-Inclán.

El lector, que al reconocer con detalle lo ocurrido, está en una posición superior a los personajes y puede seguir cómodo los intentos de los criminales para conseguir el mayor beneficio (escena cuarta) y después los tanteos de varios personajes para acercarse a la verdad de lo ocurrido (escena quinta). Ya en la escena cuarta La Sini y El Golfante hacen gala de su temeridad, que es la del criminal que se cree seguro de haber realizado a la perfección su crimen y que prueba a decir la verdad sin decirla claramente.

La escena quinta, mediante la información cruzada por los diversos personajes, va conduciendo al esclarecimiento de los hechos. Como queda dicho, El Camastrón sobre todo aquilata la información e intuitivamente da en el clavo de la situación. Las informaciones aducidas por los distintos personajes lo están en función del significado de sus propios nombres, son sobre todo vehículos de opiniones. Al final de la escena, está prácticamente claro el asunto y se reitera la alusión a los «misterios del Madrid Moderno», que son tanto el secreto crimen como el papel jugado por el «invicto Marte»y por extensión la Armada en su conjunto, misterio mucho más tenebroso, cuyo alcance se desvelará en las dos últimas escenas como ya ha quedado comentado.

La hija del capitán es, en definitiva, una sátira política, pero hábilmente urdida sobre el bastidor de estos géneros populares, cuyos recursos son utilizados con la distancia adecuada.

CONCLUSIONES

MARTES DE CARNAVAL culminó y concluyó la trayectoria dramática de Valle-Inclán, que se inserta sin violencia dentro de las tentativas del teatro europeo de nuestro siglo surgidas de la necesidad de superar las dramaturgias basadas en la *apariencia* y en la *ilusión* característica del teatro decimonónico. Por ello, su teatro resiste una comparación con el teatro *parafísico* de Jarry, con el *teatro épico* de Brecht, con el *teatro de la crueldad* de Artaud y con otras dramaturgias en las que se afronta con decisión la salida de las periclitadas formas del *drama burgués* y se busca expresar los problemas del hombre de nuestro tiempo.

Pero esto no supuso nunca para Valle-Inclán la renuncia a la indagación de las contradicciones de la sociedad española con sus peculiaridades, sus fantasmas y, en definitiva, su singularidad.

Si de una parte se encuentra en sus obras una preocupación y una reflexión continua acerca de la nueva teatralidad que entre otras cosas reclamaba una consciencia constante de su propia artificialidad, por otra, se sumerge en la vida cotidiana y busca ángulos insólitos de contemplación, que le permiten analizarla en profundidad, con sus contradicciones y sus tensiones.

Las tres obras que acoge MARTES DE CARNAVAL, sometidas al solidario yugo de este afortunado título, nos proporcionan una nítida imagen de la sociedad española de las primeras décadas de nuestro siglo, mal dirigida por gobernantes incapaces, que pretenden imponer unas reglas que no cumplen y con la amenaza constante del militarismo, esto es, de la fuerza irracional que se impone violentamente. Tampoco otros sectores sociales salen mejor parados. Valle-Inclán insiste en la presentación esperpéntica con el convencimiento de que es el mejor modo de presentar la realidad grotesca española del cambio de siglo y de que sus lectores o espectadores, contemplándola como es, se decidan a cambiarla. Las dudas, sin embargo, no dejaban de asaltarlo y, por ello, acudía a la ironía tanto en los textos ficticios como en las declaraciones públicas que acompañaron su accidentada difusión. Su ironía es la de quien contempla el azacanarse inútil de las gentes y, consciente de su inutilidad, se refugia en un juego sarcástico. Quisiera contemplar con la perspectiva de la otra ribera sus personajes, desde el aire. Éste era su ideal y en él se afanaba, corriendo los riesgos que conllevaba. El primero de ellos, ser considerado un ciudadano excéntrico y estrafalario.

JESÚS RUBIO JIMÉNEZ
Universidad de Zaragoza

BIBLIOGRAFÍA BÁSICA

Dadas las características de esta edición se incluye sólo una bibliografía general seleccionada, que remite a bibliografías, biografías y estudios generales sobre la trayectoria personal y teatral de Valle-Inclán y con especial énfasis en el esperpento.

A continuación, se destacan estudios sobre MARTES DE CARNAVAL en su conjunto y después sobre cada uno de los textos que lo integran. En algún caso se ha optado por repetir alguna entrada en más de un apartado —sobre todo las procedentes de libros de varios autores— para facilitar su consulta.

ESTUDIOS GENERALES

AA. VV., *Ramón del Valle-Inclán. An Appraisal of his Life and Works,* ed. de Anthony N. Zahareas, Nueva York, 1968.

—, «Leer a Valle-Inclán en 1986», *Hispanística XX,* núm. 4, Université de Dijon, 1986.

—, *Genio y virtuosismo de Valle-Inclán,* ed. de John J. Gabriele, Madrid, 1987.

—, *Ramón del Valle-Inclán,* ed. de Ricardo Doménech, Madrid, 1988.

—, *Valle-Inclán. Nueva valoración de su obra,* ed. de Clara Luisa Barbeito, Barcelona, 1988.

—, *Estelas, laberintos, nuevas sendas. Unamuno. Valle-Inclán. García Lorca. La guerra civil,* ed. de A. G. Loureiro, Barcelona, 1988.

AA. VV., *Quimera, cántico, busca y rebusca de Valle-Inclán*, ed. de Juan Antonio Hormigón, Madrid, 1989, 2 vols.

AZNAR SOLER, Manuel, *Ramón del Valle-Inclán: «Martes de Carnaval»*, Barcelona, 1982.

—, Guía de Lectura de «Martes de Carnaval», Barcelona, Anthropos-Taller d'investigaciones valleinclanianes, 1992.

BERMEJO MARCO, Manuel, *Valle-Inclán. Introducción a su obra*, Salamanca, 1971.

BUERO VALLEJO, Antonio, «De rodillas, de pie, en el aire», en *Tres maestros ante el público*, Madrid, 1973.

CARDONA, Rodolfo, y ZAHAREAS, Anthony N., *Visión del esperpento. Teoría y práctica de los esperpentos en Valle-Inclán*, Madrid, 1987, 2.ª edición corregida y aumentada.

DÍAZ-PLAJA, Guillermo, *Las estéticas de Valle-Inclán*, Madrid, 1965.

DOUGHERTY, Dru, *Un Valle-Inclán olvidado: entrevistas y conferencias*, Madrid, 1982.

—, *Valle-Inclán y la Segunda República*, Valencia, 1986.

FERNÁNDEZ ALMAGRO, Melchor, *Vida y literatura de Valle-Inclán*, Madrid, 1963, 5.ª edición.

GÓMEZ DE LA SERNA, Ramón, *Don Ramón María del Valle-Inclán*, Madrid, 1959, 3.ª edición.

GONZÁLEZ LÓPEZ, Emilio, *El arte dramático de Valle-Inclán*, Nueva York, 1967.

GREENFIELD, Sumner M., *Valle-Inclán: Anatomía de un teatro problemático*, Madrid, 1990, 2.ª edición.

GUERRERO ZAMORA, Juan, *Historia del teatro contemporáneo*, Barcelona, 1961, vol. I.

HORMIGÓN, Juan Antonio, *Ramón del Valle-Inclán: La política, la cultura, el realismo y el pueblo*, Madrid, 1972.

—, *Valle-Inclán. Cronología. Escritos dispersos. Epistolario*, Madrid, 1987.

JEREZ FARRÁN, Carlos, *El expresionismo en Valle-Inclán: una reinterpretación de su visión esperpéntica*, La Coruña, 1989.

LAVAUD, Eliane, *Estudio bibliográfico de las ediciones y reediciones de las obras de Valle-Inclán,* en *Aspects des civilisations ibériques,* Saint-Étienne, 1974.

—, *Valle-Inclán. Du journal au roman (1888-1915),* Braga, 1980.

LIMA, Robert, *An Annotated Bibliography of Ramón del Valle-Inclán,* The Pennsylvania State University Libraries, 1972.

LLORENS, Eva, *Valle-Inclán y la plástica,* Madrid, 1975.

LYON, John, *The Theatre of Valle-Inclán,* Cambridge University Press, 1983.

MADRID, Francisco, *Vida altiva de Valle-Inclán,* Buenos Aires, 1944.

OLIVIA, César, *Antecedentes estéticos del esperpento,* Murcia, 1978.

PAZ-ANDRADE, Valentín, *La anunciación de Valle-Inclán,* Buenos Aires, 1967.

RISCO, Antonio, *La estética de Valle-Inclán en los esperpentos y en el Ruedo Ibérico,* Madrid, 1966.

—, *El demiurgo y su mundo. Hacia un nuevo enfoque de la obra de Valle-Inclán,* Madrid, 1977.

RUBIA BARCIA, José, *Bibliography and Iconography of Valle-Inclán: 1866-1936,* Berkeley y Los Ángeles, University of California Press, 1960.

—, *Mascarón de proa,* La Coruña, 1983.

RUIZ FERNÁNDEZ, Ciriaco, *El léxico del teatro de Valle-Inclán,* Universidad de Salamanca, 1981.

RUIZ RAMÓN, Francisco, *Historia del teatro español, Siglo XX,* Madrid, 1980, 4.ª edición.

SCHIAVO, Leda, *Historia y novela en Valle-Inclán,* Madrid, 1980.

SENDER, Ramón, *Valle-Inclán y la dificultad de la tragedia,* Madrid, 1965.

SERRANO ALONSO, Javier, *Ramón del Valle-Inclán. Artículos completos y otras páginas olvidadas,* Madrid, 1987.

SPERATTI PIÑERO, Emma Susana, *De Sonata de otoño al esperpento,* Londres, 1968.

SPERATTI PIÑERO, Susana, *El ocultismo en Valle-Inclán,* Londres, 1974.

ZAMORA VICENTE, Alonso, *La realidad esperpéntica,* Madrid, 1974, 2.ª edición.

ZAVALA, Iris, *La musa funambulesca. Poética de la carnavalización en Valle-Inclán,* Madrid, 1990.

MARTES DE CARNAVAL

Estudios de conjunto

AZNAR SOLER, Manuel, *Ramón del Valle-Inclán. Martes de Carnaval,* Barcelona, 1982.

BARY, David, «La inaccesible categoría estética de Valle-Inclán», *Papeles de Son Armadans,* LII, 156, 1969, págs. 221-238.

CARDONA, Rodolfo, y ZAHAREAS, Anthony N., *Visión del esperpento. Teoría y práctica de los esperpentos de Valle-Inclán,* Madrid, 1987, 2.ª edición.

CARRICABURO, N., y CUITIÑO, L., «La sátira menipea en los esperpentos valleinclanianos», *Revista de Literatura,* 99, 1988, págs. 157-168.

CASALDUERO, Joaquín, «Sentido y forma de *Martes de Carnaval»,* en *Razón del Valle-Inclán. An Appraisal of his Life and Works,* ed. cit., págs. 686-694.

DOMÉNECH, Ricardo, «Mito y rito en los esperpentos», en *Ramón del Valle-Inclán,* ed. cit., págs. 284-309.

ECHEVARRÍA, E., «El *esperpento* y el teatro de marionetas italiano», *Hispanic Review,* XLIII-3, 1975, págs. 311-315.

GREENFIELD, Sumner, «Los cuatro esperpentos: unidad y divergencias», en *La Chispa'85: Selected Proceedings,* ed. de Gilbert Paolini, Nueva Orleans, 1985, págs. 145-152.

HERRERO, Javier, «La sátira del honor en los esperpentos», en *Ramón del Valle-Inclán. An Appraisal of his Life and Works,* ed. cit., págs. 672-685.

LAVAUD, Jean Marie, «Del *Teatro de los niños* al esperpento: visión del ejército», *Diálogos Hispánicos de Amsterdam,* 7, 1988, págs. 81-97.

PALET DE FRANCESCATO, M., «Teoría y realización del esperpento en *Martes de Carnaval», Cuadernos Hispanoamericanos,* 236, 1969, págs. 483-495.

SERRANO, Carlos, «Valle-Inclán et les dramaturgies non aristotéliciennes: les termes d'una débat», *Hispanística XX,* 5, 1987, págs. 53-62.

SOBEJANO, Gonzalo, «Culminación dramática de Valle-Inclán: el diálogo a gritos», en *Estelas. Laberintos, Nuevas sendas,* ed. cit., págs. 111-136.

ZAHAREAS, Anthony N., y GILLESPIE, G., «Ramón María del Valle-Inclán: The Theatre of Esperpentos», *Drama Survey,* 16, 1967, págs. 3-23.

Las galas del difunto

ARRANZ NICOLÁS, Clara, *«Las galas del difunto:* historia y símbolo de una decadencia», *Nueva Estafeta,* 41, 1982, págs. 75-80.

AVALLE-ARCE, Juan Bautista, «La esperpentización de *Don Juan Tenorio», Hispanófila,* 7, 1959, págs. 29-39.

CARDONA, Rodolfo, *«Las galas del difunto»,* en *Valle-Inclán. Nueva valoración de su obra,* ed. cit., págs. 243-252.

CARDONA CASTRO, Ángeles, *«Las galas del difunto,* de Valle-Inclán. Estudio semiótico de las acotaciones dramáticas», en *Crítica semiológica de textos literarios hispánicos. Actas del Congreso Internacional de Semiótica,* Madrid, CSIC, 1983, págs. 857-876.

DOUGHERTY, Dru, «The Tragicomic *Don Juan:* Valle-Inclán's esperpento of *Las galas del difunto», Modern Drama,* XXIII-1, 1980, págs. 44-57.

FRESSARD, Jacques, «Valle-Inclán et le bandit galicien Mamed Casanova: une source de *Las galas del difunto», Les Langues Neolatines,* 173, 1965, págs. 39-53.

LAVAUD, Eliane, «Otra subversión valleinclaniana: El mito de Don Juan en *Las galas del difunto»,* en *Ramón del Valle-In-*

clán (1866-1936). Akten des Bramberger Kolloquiums vom 6-8 november 1986, ed. de Harald Wentzlaff-Eggebert, Max Niemeyer Verlag, Tübingen, 1988, págs. 139-146.

OSUNA, Rafael, «La figura humana en *Las galas del difunto,* de Valle-Inclán», *Journal of Spanish Studies: Twentieth Century,* 8, 1-2, 1980, págs. 103-116.

Los cuernos de don Friolera

BARY, David, «Notes on *Los cuernos de don Friolera», Hispania,* XLVI, mayo de 1963, págs. 81-83.

CABRERA, Vicente, «Valle-Inclán y la escuela de Echegaray: un caso de parodia literaria», *Revista de Estudios Hispánicos,* mayo de 1973, págs. 193-213.

CARDONA, Rodolfo, *«Los cuernos de don Friolera:* estructura y sentido», en *Ramón del Valle-Inclán. An Appraisal of his Life and Works,* ed. cit., págs. 636-671.

DOUGHERTY, Dru, «Dramaturgical Distance in Valle-Inclán's *Esperpento de los cuernos de don Friolera», Revista de Estudios Hispánicos,* 9, 1982, págs. 55-61.

DURÁN, Manuel, *«Los cuernos de don Friolera* y la estética de Valle-Inclán», *Ínsula,* 236-237, julio-agosto de 1966, págs. 5-28.

GABRIELLE, John, «Aproximación a *Los cuernos de don Friolera», Quaderni di Letterature Iberiche et Iberoamericane,* 7-8, 1988, págs. 21-29.

LAVAUD, Jean Marie, «Prologue et Epilogue de *Los cuernos de don Friolera», Les Langues Neolatines,* 240, 1982, págs. 19-29.

—, «Con M de Marioneta y M de militar. En torno a *Los cuernos de don Friolera», Homenaje a José Antonio Maravall,* Madrid, 1985, vol. II, págs. 427-441.

PÉREZ CARREÑO, G., «Literatura e ideología en Valle-Inclán, *Los cuernos de don Friolera», Cuadernos Hispanoamericanos,* 438, 1986, págs. 75-82.

PÉREZ MINIK, Domingo, «Valle-Inclán o la restauración del bululú», en *Debates sobre el teatro español contemporáneo,* Santa Cruz de Tenerife, 1953, págs. 121-140.

PHILLIPS, Allen, «El esperpento de *Los cuernos de don Friolera», Humanistas* (Tucumán), 5, 1964, págs. 309-322.

TORRENTE BALLESTER, Gonzalo, «*Los cuernos de don Friolera* y la dilucidación del esperpento», en *Teatro español contemporáneo,* Madrid, 1968, págs. 188-234.

ZAHAREAS, Anthony N., «Friolera, el héroe visto con la perspectiva de la otra ribera», en *Ramón del Valle-Inclán. An Appraisal of his Life and Works,* ed. cit., págs. 630-635.

La hija del capitán

ARRANZ NICOLÁS, Clara, «Historia e intrahistoria en *La hija del capitán», Cuadernos para investigación de la literatura hispánica,* 9, 1988, págs. 63-77.

CAMPELLA, Hebe Noemí, «*La hija del capitán:* dos versiones y una sola visión esperpéntica», en *Explicación de textos literarios,* 1, 1978, págs. 18-24.

CANOA, Josefina, «Estructura de *La hija del capitán,* de Ramón del Valle-Inclán», *Revista de Literatura,* XLVII, 94, 1985, págs. 127-149.

GREENFIELD, Sumner, «Madrid in the mirror: esperpento of *La hija del capitán», Hispania,* XLVII-2, 1965, págs. 261-265.

LAVAUD, Jean Marie, «Les *Dramatis personae* de *La hija del capitán.* Une déclaration d'intention», *Hispanística XX,* núm. 2, 1984, págs. 105-121.

—, «Déconstruction du personnage, présencee de l'histoire dans *La cabeza del dragón* et *La hija del capitán», Hispanística XX,* núm. 5, 1987, págs. 63-80.

SERRANO ALONSO, Javier, «Las tres versiones de *La hija del capitán* (1927-1930)», *Diálogos Hispánicos de Amsterdam,* 7, págs. 99-130.

MARTES DE CARNAVAL

ESPERPENTOS

ESPERPENTO
DE LAS GALAS DEL DIFUNTO

DRAMATIS PERSONAE

La Bruja de los mandados en la casa llana
Una Daifa y Juanito Ventolera, pistolo repatriado
Un galopín, mancebo de botica
El Boticario don Sócrates Galindo y doña Terita la boticaria
Tres soldados de rayadillo: Pedro Maside, Franco Ricote y El bizco maluenda
Un sacristán y un rapista
La madre Celestina y las niñas del pecado

ESCENA PRIMERA

La casa del pecado, en un enredo de callejones, cerca del muelle viejo. Prima[1] *noche. Luces de la marina. Cantos remotos en un cafetín. Guiños de las estrellas. Pisadas de zuecos. Brilla la luna en las losas mojadas de la acera: Tapadillo*[2] *de la Carmelitana: Sala baja con papel floreado: Dos puertas azules, entornadas sobre dos alcobas: En el fondo, las camas tendidas con majas colchas portuguesas: En el reflejo del quinqué,* LA DAIFA *pelinegra, con un lazo detonante en el moño, cierra el sobre de una carta: Luce en la mejilla el rizo de un lunar. A* LA BRUJA *que se recose el zancajo en el fondo mal alumbrado de una escalerilla, hizo seña mostrando la carta. La coima*[3] *muerde la hebra, y se prende la aguja en el pecho.*

LA BRUJA.—¡Vamos a ese fin del mundo! ¡Si siquiera de tantas idas se sacase algún provecho!...

LA DAIFA.—La carta va puesta como para conmover una peña.

---

[1] *Prima noche* (del latín, *prima nocte):* en las primeras horas de la noche.

[2] *Tapadillo:* casa de citas o prostíbulo.

[3] *Coima:* prostituta; aquí se refiere a la encargada del prostíbulo; proviene del lenguaje de germanía del Siglo de Oro y Valle ya la había utilizado en la farsa de *La cabeza del dragón.*

LA BRUJA.—¡Ay, qué viejo renegado! ¡Cuándo se lo llevará Satanás!...

LA DAIFA.—Es muy contraria mi suerte.

LA BRUJA.—¡Sí que lo es! ¡El padre acaudalado y la hija arrastrada!

LA DAIFA.—¡Y tener que desearle la muerte para mejorar de conducta!

LA BRUJA.—¡Si te vieras con capitales, era el ponerte de ama y dorarte de monedas, que el negocio lo puede! ¡Y no ser ingrata con una vida que te dio refugio en tu desgracia!

LA DAIFA.—¡No habrá una peste negra que se lo lleve!

LA BRUJA.—Tú llámale por la muerte, que mucho puede el deseo, y más si lo acompañas encendiéndole una vela a Patillas[4].

LA DAIFA.—¡Renegado pensamiento! ¡Dejémosle vivir, que al fin es mi padre!

LA BRUJA.—Para ti ha sido un verdugo.

LA DAIFA.—¡Se le puso una venda de sangre considerando la deshonra de sus canas!

LA BRUJA.—Pudo cubrirla, si tanto no le representase aflojar la mosca[5], pero la avaricia se lo come. ¿Espero respuesta de la carta?

LA DAIFA.—Si te la da la tomas. Tienes que correr para no hallar la puerta cerrada.

LA BRUJA.—Volaré.

LA BRUJA *encaperuzó el manto sobre las sienes y voló convertida en corneja.* LA DAIFA *de la bata celeste y el lazo*

---

[4] *Patillas:* es uno de los nombres populares que se da al diablo.

[5] *Aflojar la mosca:* pagar.

escarlata sale a la puerta haciendo la jarra[6]*, y permanece en el umbral mirando a la calle. Por la otra acera, un sorche*[7] *repatriado, al que dicen* JUANITO VENTOLERA.

LA DAIFA.—¡Chis!... ¡Chis!...

JUANITO VENTOLERA.—¿Es para mí ese reclamo, paloma[8]?

LA DAIFA.—¿No te gusto?

JUANITO VENTOLERA.—¡Un pasmo! ¿No me ve usted, niña, con las patas colgando?

LA DAIFA.—Pues atorníllate, pelmazo.

JUANITO VENTOLERA.—¿Quiere usted sacarme para fuera la llave de tuercas[9]?

LA DAIFA.—Ese timo es habanero.

JUANITO VENTOLERA.—¿Conoce usted aquel país?

LA DAIFA.—No lo conozco, pero tiene usted todo el hablar de los repatriados. ¡La propia pinta! ¿No lo es usted?

JUANITO VENTOLERA.—No más hace que tres horas. A las seis tocamos puerto.

LA DAIFA.—¿En qué Regimiento estaba usted?

JUANITO VENTOLERA.—Segunda Compañía de Lucena.

LA DAIFA.—¡Segunda de Lucena! ¿Y usted, por un casual, habrá conocido a un punto[10] practicante que llamaban Aureliano Iglesias?

---

[6] *Haciendo la jarra:* como tantas veces, Valle en sus acotaciones trata de dar una imagen plástica. En este caso, la expresión quiere decir con el brazo en jarra, doblado en ángulo y apoyando la mano en la cadera.

[7] *Sorche:* soldado. Es denominación humorística, procedente del inglés (Senabre).

[8] *Paloma:* en lenguaje de jerga, «prostituta». Sentido que avala y subraya el contexto de la escena. Admitida la referencia paródica respecto a *Don Juan Tenorio,* de Zorrilla, invierte el sentido con que allí don Juan utiliza el término para referirse a doña Inés.

[9] *Llave de tuercas:* por el contexto se refiere al «órgano sexual masculino».

[10] *Punto:* individuo, suele tener un sentido peyorativo de «tunante o pícaro» como se usa en la réplica siguiente.

JUANITO VENTOLERA.—Buen punto estaba ése.

LA DAIFA.—¿Le ha conocido usted, por un acaso? ¿No es una trola [11]? ¿Le ha conocido?

JUANITO VENTOLERA.—Bastante. Simpatizamos.

LA DAIFA.—Era mi novio. Estábamos para casar.

JUANITO VENTOLERA.—Pues aquí tiene usted su consuelo.

LA DAIFA.—¿De verdad has conocido tú a Aureliano Iglesias?

JUANITO VENTOLERA.—Y tanta verdad.

LA DAIFA.—¿Sabes cómo murió?

JUANITO VENTOLERA.—Como un valiente.

LA DAIFA.—¡A los redaños [12] que tenía, algunos mambises [13] habrá tumbado!

JUANITO VENTOLERA.—Muchos no habrán sido... Siempre se tira de lejos.

LA DAIFA.—Pero alguno doblaría.

JUANITO VENTOLERA.—Pudiera...

LA DAIFA.—¿Tú no crees?...

JUANITO VENTOLERA.—Allí solamente se busca el gasto de municiones. Es una cochina vergüenza aquella guerra. El soldado, si supiese su obligación y no fuese un paria, debería tirar sobre sus jefes.

LA DAIFA.—Todos volvéis con la misma polca, pero ello es que os llevan y os traen como a borregos. Y si fueseis solos a pasar las penalidades, os estaría muy bien puesto. Pero las consecuencias alcanzan a los más inocentes, y un hijo

---

[11] *Trola:* popularmente, mentira.

[12] *Redaños:* construcción elíptica de corte popular, que viene a decir: «a juzgar por el valor que tenía...».

[13] *Mambises:* era el nombre que daban los españoles a los independentistas cubanos.

que hoy estaría criándose a mi lado, lo tengo en la Maternidad. Esta vida en que me ves, se la debo a esa maldita guerra que no sabéis acabar.

JUANITO VENTOLERA.—Porque no se quiere. La guerra es un negocio de los galones. El soldado sólo sabe morir.

LA DAIFA.—¡Como el mío! ¿Oye, tú, le envolverían en la bandera?

JUANITO VENTOLERA.—No era para tanto. ¡La bandera! Pues no dice nada la gachí. La bandera es la oreja. ¡Esos honores se quedan para los jefes!

LA DAIFA.—¿Y por eso tenéis todos tan mala voluntad a los galones?

JUANITO VENTOLERA.—De esas camamas [14], al soldado poco se le da. ¡No robaran ellos como roban en el rancho y en el haber!...

LA DAIFA.—Pues a tumbar galones. Pero todos lo dicen y ninguno lo hace.

JUANITO VENTOLERA.—Alguno hay que lo hizo.

LA DAIFA.—¿Tú, por ventura?

JUANITO VENTOLERA.—Otro de mi cara.

LA DAIFA.—Mírame en este ojo. Tú te has aguantado las bofetadas igual que todos. ¿De verdad has conocido a Aureliano Iglesias?

JUANITO VENTOLERA.—¡De verdad!

LA DAIFA.—¿Y le has visto caer propiamente?

JUANITO VENTOLERA.—Propiamente.

LA DAIFA.—¿En el campo?

JUANITO VENTOLERA.—A mi lado, en la misma trinchera.

LA DAIFA.—¿Con redaños?

---

[14] *Camama:* engaño.

JUANITO VENTOLERA.—Cuando no queda otro remedio, todo quisque [15] saca los redaños.

LA DAIFA.—Se fue dejándome embarazada de cinco meses. Pasado un poco más tiempo no pude tenerlo oculto, y al descubrirse, mi padre me echó al camino. Por donde también a mí me alcanza la guerra. ¿Tú de qué parte del mundo eres?

JUANITO VENTOLERA.—De esta tierra.

LA DAIFA.—No lo pareces.

JUANITO VENTOLERA.—¿Pues de dónde me das?

LA DAIFA.—Cuatro leguas arriba de los Infiernos. O mucho me engaño, o tú eres otro Ravachol [16].

JUANITO VENTOLERA.—¿Pues qué me ves?

LA DAIFA.—La punta del rabo.

JUANITO VENTOLERA.—Siento no agradarte, paloma [17]. Lo siento de veras.

LA DAIFA.—¿Quién te ha dicho que no me agradas? Tanto que me agradas, y si quieres convidar, puedes hacerlo.

JUANITO VENTOLERA.—Estoy sin plata.

LA DAIFA.—Algo tendrás.

JUANITO VENTOLERA.—El corazón para quererte, niña.

LA DAIFA.—¿Ni siquiera tienes un duro romanonista [18]?

---

[15] *Todo quisque:* todo el mundo.

[16] *Ravachol:* François Ravachol (1859-1892) fue un célebre bandido y anarquista francés, que gozó de gran prestigio en los años del cambio de siglo. Entre sus aventuras se cuenta el haber saqueado una tumba para despojar el cadáver. Téngase en cuenta lo indicado en la introducción al respecto.

[17] *Paloma:* prostituta en lenguaje de jerga.

[18] *Duro romanonista:* anota Senabre: «no es seguro el sentido de este término, derivado del nombre de Romanones (Álvaro de Figueroa y Torres, 1863-1950), destacado político que fue varias veces ministro y en dos ocasiones presidente del Consejo. Acaso pueda significar "duro madrileño", es decir, "auténtico" —por oposición al "duro sevillano" del que se hablará más tarde—, dado que Romanones, criticado muchas veces por tu tacañería, fue teniente de alcalde y alcalde de Madrid».

JUANITO VENTOLERA.—Ni eso.

LA DAIFA.—¿Ni una beta[19] para convidar?

JUANITO VENTOLERA.—Pelado al cero[20], niña.

LA DAIFA.—¡Más que pelado! ¡Calvorota!

JUANITO VENTOLERA.—Es el premio que hallamos al final de la campaña. ¡Y aún nos piden ser héroes!

LA DAIFA.—¡Cabritos sois!

JUANITO VENTOLERA.—¡Y tan cabritos!

LA MADRE[21] *del prostíbulo aparece por la escalerilla, llenándola con el ruedo de sus faldas: Trae en la mano una palmatoria que le entrecruza la cara de reflejos. Detrás, en revuelo, bajan dos palomas. La dueña es obesa, grandota, con muchos peines y rizos: Un erisipel le repela las cejas.*

LA MADRE.—¿Vas a pasarte la noche con ese pelma? Métete dentro.

LA DAIFA.—Ya has oído. ¡Que ahueques!

JUANITO VENTOLERA.—¿Así me da usted boleta[22], morena? ¡Usted no quiere ver en mí al testamentario de Aureliano Iglesias!

LA DAIFA.—¡Camelista! ¡Si al menos tuvieses para pagar la cama!

JUANITO VENTOLERA.—Nada tengo.

LA DAIFA.—Pues la cama es una beata. Dirás que no la tienes, con las cruces que llevas en el pecho. ¡Alguna será pensionada!

---

[19] *Beata:* peseta.

[20] *Pelado al cero:* figuradamente, sin dinero.

[21] *Madre:* encargada del prostíbulo. Es voz de germanía documentada desde el Siglo de Oro. Debe tenerse en cuenta también la relación paródica que se establece con el personaje correspondiente de *Don Juan Tenorio,* de Zorrilla, es decir, con la Abadesa.

[22] *Dar boleta:* expulsar, mandar fuera.

JUANITO VENTOLERA.—Te hago donación de todo el tinglado.

LA DAIFA.—Gracias.

JUANITO VENTOLERA.—Son las que me cuelgan[23].

LA MADRE.—Ernestina, basta de pelma[24].

LA DAIFA.—Es un amigo de mi Aureliano.

JUANITO VENTOLERA.—¿Hacemos changa[25], negra?

LA DAIFA.—¿Y si te tomase la palabra?

JUANITO VENTOLERA.—Por tomada. Me das la dormida y te cuelgas este calvario[26].

LA DAIFA.—¡Pss!... No me convence.

JUANITO VENTOLERA.—Te adornas la espetera.

LA DAIFA.—¡Guasista!

JUANITO VENTOLERA.—Salte un paso que te lo cuelgo.

LA DAIFA.—El ama está alerta. ¿Qué medalla es ésta?

JUANITO VENTOLERA.—Sufrimientos por la Patria.

LA DAIFA.—¡Hay que ver!... ¿Y ésta?

JUANITO VENTOLERA.—Del Mérito.

LA DAIFA.—¡Has sido un héroe!

JUANITO VENTOLERA.—¡Un cabrón!

LA DAIFA.—¡Me estás cayendo la mar simpático! ¿Y esta cruz?

JUANITO VENTOLERA.—De Doña Virtudes. El lilailo[27] que te haga tilín[28], te lo cuelgas. Como si te apetece todo el tinglado. ¡Mi palabra es de Alfonso![29]

---

[23] *Las que me cuelgan:* anota Senabre: «equívoco malicioso, ya que las "gracias" que "cuelgan" no son únicamente cruces».

[24] *Pelma:* conversación innecesaria y que se prolonga.

[25] *Changa:* tratos.

[26] *Calvario:* se refiere al pecho lleno de cruces.

[27] *Lilailo:* cosa sin valor.

[28] *Hacer tilín:* gustar, agradar.

[29] *Mi palabra es de Alfonso:* conlleva una envenenada referencia al rey, a quien considera mendaz.

LA DAIFA.—Espera que nos conozcamos más.

JUANITO VENTOLERA.—¿Y cuándo va a ser ese conocimiento?

LA DAIFA.—Pásate por aquí la tarde del lunes, que me toca libre. Antes no vengas. Y aún mejor apaño será que me dejes la tarde libre. Ven por la noche, sobre esta hora... Si acaso te acuerdas.

JUANITO VENTOLERA.—Me has puesto cadena.

LA MADRE.—¡Ernestina!

LA DAIFA.—El ama está echando café. Vete no más. Toma un recuerdo.

LA DAIFA *se saca una horquilla del moño y se la ofrece con guiño chunguero. Éntrase, y desde el fondo de la sala se vuelve. El soldado todavía está en la acera. Alto, flaco, macilento, los ojos de fiebre, la manta terciada* [30]*, el gorro en la oreja, la trasquila en la sien. El tinglado de cruces y medallas daba sus brillos buhoneros.*

ESCENA SEGUNDA

Farmacia del licenciado Sócrates Galindo. LA BRUJA *del tapadillo* [31]*, con la carta de* LA DAIFA, *posa el vuelo en el relumbre de la pupila mágica, que proyecta sobre la acera el ojo del boticario* [32]*. Por una punta del rebozo, las uñas negras, los dedos rayados del iris, oprimen la carta de la*

---

[30] *Terciada:* atravesada, cruzada diagonalmente sobre el cuerpo.

[31] *Tapadillo:* prostíbulo o casa de citas.

[32] *Ojo del boticario:* anota Senabre: «vitrina de la farmacia donde solían guardarse los medicamentos de más valor. Nótese la imagen subsiguiente: el "ojo del boticario" proyecta su "pupila mágica" sobre la acera».

manflota[33]*. La mandadera mete la cabeza curuja*[34] *por el vano de la puerta, pegada a un canto. Maja en el mortero un virote*[35] *de mandilón y alpargatas.*

LA BRUJA.—Traigo una carta de aquella afligida para el viejo. Llámale.

EL GALOPÍN.—Ha salido.

LA BRUJA.—¡Raro se me hace! De ser un aparente[36], mal harías negándomelo. Mira, hijo, para que te crea, pésame en un santimén dos onzas de cornezuelo.

EL GALOPÍN.—El cornezuelo no se despacha sin receta.

LA BRUJA.—¡Adónde vas tú con ese miramiento! ¡Que no despacharéis pocas drogas sin receta! Anda, negro, y te guardas las perronas.

EL GALOPÍN.—¡Y me busco un compromiso, si cuadra!

LA BRUJA.—¿Tampoco tomarás a tu cargo entregarle la carta al viejo?

EL GALOPÍN.—Tampoco.

LA BRUJA.—¡Hijo, eres propiamente una ortiga[37]! La ley de los pobres es ayudarse.

EL GALOPÍN.—¿Quiere usted encargarse del almirez y majar un rato?

LA BRUJA.—¡Cuernos!

EL GALOPÍN.—¡Los suyos!

LA BRUJA.—¡Malhablado! ¿Adónde salió el patrón?

EL GALOPÍN.—A entrevistarse con el alcalde.

LA BRUJA.—¿Anda en justicias?

---

[33] *Manflota:* aumentativo de *manfla,* prostituta.

[34] *Coruja:* lechuza.

[35] *Virote:* joven torpe.

[36] *Aparente:* anota Senabre: «está aquí por *apariencia* en su valor arcaico de "pretexto engañoso"».

[37] *Ser uno como unas ortigas:* ser áspero y desapacible con su trato y en sus palabras *(DRAE).*

EL GALOPÍN.—Le han puesto una brasa en el traste [38].

LA BRUJA.—Explica esa picardía.

EL GALOPÍN.—Le echaron un alojado, y anda en los pasos para que le rediman la carga.

LA BRUJA.—¡Tío cicatero! ¿A qué hora cerráis?

EL GALOPÍN.—A las nueve.

LA BRUJA.—¿Vendrá antes?

EL GALOPÍN.—Pudiera ser.

LA BRUJA.—¿Por qué no te encargas tú de darle la carta? Me alargo a otro mandado, y vuelvo por la respuesta. Así la tiene meditada.

La trotaconventos entra a dejar la carta sobre el mostrador, y escapa arrebujándose: En la puerta, con arrecido [39] de bruja zorrera, cruza por delante del BOTICARIO, *que se queda suspenso, enarbolado el bastón sobre la encorujada, sin llegar a bajarlo.*

EL BOTICARIO.—¡Recoge esa carta! ¡No quiero recibirla! ¡Me mancharía las manos! ¡A la relajada que aquí te encamina, dile, de una vez para siempre, que no logrará conmover mi corazón! ¡Llévate ese papel, y remonta el vuelo, si no quieres que te queme las pezuñas! ¡Llévate ese papel, y no aparezcas más!

LA BRUJA.—¡Esa carta suplica una respuesta!

EL BOTICARIO *recoge la carta, que con rara sugestión acusa su cuadrilátero encima del mostrador, y la tira al arroyo.*

---

[38] *Traste:* trasero. La expresión completa viene a decir que le han irritado o molestado.

[39] *Arrecido:* anota Senabre: «parece tener aquí el sentido de "estremecimiento"».

LA BRUJA.—¡Iscariote[40]!

EL BOTICARIO.—¡Emplumada[41]!

LA BRUJA.—¡Perro avariento, es una hija necesitada la que te implora! ¡Tu hija! ¡Corazón perverso, no desoigas la voz de la sangre!

EL BOTICARIO.—Vienes mal guiada, serpiente. ¿De qué hija me hablas? Una tuve y se ha muerto. Los muertos no escriben cartas. ¡Retira ese papel de la calle, vieja maldita!

LA BRUJA.—¡Guau! ¡Guau! Ahí se queda para tu sonrojo. Que recoja y lo lea el primero que pase.

Se alejaba la voz. Se desvanecía la coruja por una esquina, con negro revuelo. Y por donde LA BRUJA *se ha ocultado aparece el sorche repatriado. Entra en el claro de luna, la manta terciada, el gorro ladeado, una tagarnina*[42] *atravesada en los dientes: Recoge la carta: Saluda cuadrándose en la puerta: En los ojos las candelillas de dos copas*[43].

JUANITO VENTOLERA.—¿Qué arreglo tenemos, patrón? ¡Como una puñalada ha sido presentarle la boleta[44]! ¿Soy o no soy su alojado, patrón? ¿Qué ha sacado usted del alcalde?

EL BOTICARIO.—Dormirás en la cuadra. No tengo mejor acomodo. Mi obligación es procurarte piso y fuego. De ahí no paso. Comes de tu cuenta. Dame esa carta. Me pertenece.

JUANITO VENTOLERA.—¿Tiene usted la estafeta[45] en el arroyo?

---

[40] *Iscariote:* judío con el sentido coloquial peyorativo que conlleva, es decir, malo y avaro.

[41] *Emplumada:* bruja.

[42] *Tagarnina:* cigarro puro, generalmente de poca calidad.

[43] *Las candelillas de dos copas:* figuradamente, parece referirse a que se encuentra borracho o al menos achispado.

[44] *Boleta:* cédula que se da a los militares para facilitar su alojamiento.

[45] *Estafeta:* buzón.

EL BOTICARIO.—La tengo en el forro de los calzones. Dame esa carta.

JUANITO VENTOLERA.—Téngala usted.

EL BOTICARIO, *con rosma de gato maníaco, se esconde la carta en el bolsillo: Musita rehúso*[46] *a leerla: Éntrase en la rebotica. La cortineja suspensa de un clavo deja ver la figura soturna*[47] *y huraña, que tiene una abstracción gesticulante. Cantan dos grillos en el fondo de sus botas nuevas. Lentamente se desnuda del traje dominguero: Se reviste gorro, bata, pantuflas: Reaparece bajo la cortinilla con los ojos parados de través, y toda la cara sobre el mismo lado, torcida con una mueca. La coruja, con esquinado revuelo, ha vuelto a posarse en el iris mágico que abre sus círculos en la acera. El estafermo*[48]*, gorro y pantuflas, con una espantada, se despega de la cortinilla. El desconcierto de la gambeta*[49] *y el visaje que le sacude la cara, revierten la vida a una sensación de espejo convexo. La palabra se intuye por el gesto, el golpe de los pies por los ángulos de la zapateta. Es un instante donde todas las cosas se proyectan colmadas de mudez. Se explican plenamente con una angustiosa evidencia visual. La coruja, pegándose al quicio, mete los ojos deslumbrados por la puerta.* EL BOTICARIO *se dobla como un fantoche.*

LA BRUJA.—¡Alma de Satanás!

JUANITO VENTOLERA.—¡Buena trúpita[50]!

---

[46] *Rehúso:* reacio.

[47] *Soturna:* triste, melancólica.

[48] *Estafermo:* del italiano *sta fermo,* «está quieto», tente tieso.

[49] *Gambeta:* pierna.

[50] *Trúpita:* borrachera.

EL GALOPÍN.—Es una alferecía que le da por veces.
JUANITO VENTOLERA.—¡Cayó fulminado!
EL GALOPÍN.—¡Impone mirarle!
JUANITO VENTOLERA.—¡Ánimo, patrón!
LA BRUJA.—¡Friegas de ortigas por bajo del rabo!

Se anguliza[51] *como un murciélago, clavado en los picos del manto: Desaparece en la noche de estrellas. Un gato fugitivo, los ojos en lumbre y el lomo en hopo*[52], *sale en cohete por el canto de la cortinilla, rampa*[53] *al mostrador, cruza de un salto por encima del fantoche aplastado: Huye con una sardina bajo los bigotes. Viene detrás la vieja, que grita con la escoba enarbolada.*

LA BOTICARIA.—¡Centellón[54], que se lleva la cena! ¡Ni el propio enemigo! ¡San Dios, qué retablo! ¡Otra alferecía!
EL GALOPÍN.—¡Cayó fulminado!
JUANITO VENTOLERA.—Le pasó un aire.
LA BOTICARIA.—Hoy se cumple el año. ¡Sócrates, por qué me dejas viuda en este valle de lágrimas!

ESCENA TERCERA

Tres pistolos[55] *famélicos, con ojos de fiebre, merodean por las eras.* PEDRO MASIDE *camina con dos palomos ocultos en el pecho.* EL BIZCO MALUENDA *esconde los pepinos y*

---

[51] *Se anguliza:* se dobla en ángulo; es un neologismo.
[52] *En hopo:* erizado.
[53] *Rampa:* trepa.
[54] *¡Centellón!:* interjección muy usada por Valle-Inclán.
[55] *Pistolo:* soldado de infantería.

tomates para un gazpacho. FRANCO RICOTE, *anda escotero*[56]*. Llegan a las tapias del camposanto. Grillos nocturnos. Cruces y cipreses. Pisa las tumbas un bulto de hombre, que por tiempos se rasca la nalga, y saca una luz en la punta de los dedos para leer los epitafios. Vaga en un misterio de grillos y luceros.*

PEDRO MASIDE.—¡Tenemos a la vista un desertor del Purgatorio! Será conveniente echarle el alto.

EL BIZCO MALUENDA.—Parece que el difunto busca el alojamiento y no da con la puerta.

FRANCO RICOTE.—¡Alto, amigo! ¡Toda la compañía está roncando, amigo! ¡Se te ha pasado el toque de retreta, a lo que veo!

EL BIZCO MALUENDA.—¿Sales de la cantina? ¡Buena hembra es la Iñasi!

FRANCO RICOTE.—A lo que parece te gustan las gachís. ¿Por qué no respondes? ¿Te ha comido alguna niña la lengua? No más te hagas el muerto, pues yo te conozco, y sin que hables, he descubierto quién eres. Te diré más: El hallarte aquí es por haber venido acompañando al entierro de tu patrón. Sirves en la Segunda Compañía de Lucena.

EL BIZCO MALUENDA.—Escota y vente a cenar. Hay dos palomos y un gazpacho.

El bulto remoto entre cruces y cipreses, se alumbra rascándose la nalga. La voz se hace desconocida en los ecos tumbales.

---

[56] *Escotero:* se aplica a la persona que anda libre de carga.

JUANITO VENTOLERA.—Parece que representáis el Juan Tenorio. Pero allí los muertos van a cenar de gorra.

FRANCO RICOTE.—Convidado quedas. No hemos de ser menos rumbosos que en el teatro.

JUANITO VENTOLERA.—¿Dónde es la cita?

FRANCO RICOTE.—¡Bien conocido! A la vuelta del Mercado Viejo. Donde dicen Casa de la Sotera.

JUANITO VENTOLERA.—No faltaré.

FRANCO RICOTE.—¿Aún te quedas?

JUANITO VENTOLERA.—El patrón me ha guiñado el ojo al despedirse, y estoy en que algo tiene que contarme. Le había caído simpático, y pudiera en su última voluntad acordarme[57] alguna manda[58].

FRANCO RICOTE.—¡Pues habrá que celebrarlo!

EL BIZCO MALUENDA.—¿El difunto tiene aviso de que lo buscas?

JUANITO VENTOLERA.—Voy a pasárselo. Justamente aquí está enterrado. Patrón, vamos a vernos las caras. Vengo por la manda que usted me ha dejado.

FRANCO RICOTE.—¡Las burlas con los muertos por veces salen caras!

PEDRO MASIDE.—¡No apruebo lo que haces!

EL BIZCO MALUENDA.—Si un difunto se levanta, la valentía de nada vale. ¿Qué haces en riña con un difunto? ¿Volver a matarlo? Ya está muerto. Si ahora se levantase el boticario, por muchos viajes[59] que le tirásemos puestos los cuatro en rueda, le veríamos siempre derecho.

JUANITO VENTOLERA.—¡Eso supuesto que se levantase!

---

57 *Acordar:* conceder.
58 *Manda:* legado.
59 *Viaje:* cuchillada.

FRANCO RICOTE.—Vamos, amigo, deja esa burla y vente a cenar.

JUANITO VENTOLERA.—Luego que recoja la manda.

PEDRO MASIDE.—¡Ya pasa de desvarío!

EL BIZCO MALUENDA.—Ese atolondramiento no lo tuvo ni el propio Juan Tenorio.

PEDRO MASIDE.—Ya estás viendo que el muerto no sale de la sepultura. ¡Déjalo en paz!

JUANITO VENTOLERA.—Le pesa la losa y hay que ayudarle. ¿Por qué no os llegáis para echar una mano? ¡Vamos a ello, amigos!

EL BIZCO MALUENDA.—¡De locura pasa!

PEDRO MASIDE.—¡Mucho has pimplado[60]!

FRANCO RICOTE.—¡No se levanten a una todos los difuntos y nos puedan!

JUANITO VENTOLERA.—Para recoger la manda del patrón, me es preciso dejarle en cueros.

PEDRO MASIDE.—¡Mira lo que intentas!

JUANITO VENTOLERA.—A eso he venido. ¿Quiere alguno ayudarme?

PEDRO MASIDE.—¡Te digo ahora lo que antes te dije! ¡No hay burlas con los muertos!

JUANITO VENTOLERA.—¡Ni el caso es de burlas!

EL BIZCO MALUENDA.—¡Ahí es nada!

JUANITO VENTOLERA.—¡Nada!

EL BIZCO MALUENDA.—¡Gachó[61]!

FRANCO RICOTE.—Cuando a tanto te pones, conjeturo que con prendas de mucho valor enterraron al difunto.

---

[60] *Pimplar:* beber.

[61] *Gachó:* gitanismo que significa hombre, utilizado aquí como interjección.

JUANITO VENTOLERA.—¡Un terno de primera! ¡Poco paquete[62] que voy a ponerme! Flux[63] completo, como dicen los habaneros.

EL BIZCO MALUENDA.—¡Qué va! No será sólo eso.

JUANITO VENTOLERA.—Sólo eso. Esta noche tengo que sacar de ganchete[64] a una furcia, y no quiero deslucir a su lado.

FRANCO RICOTE.—Camélala[65] para que apoquine[66] y te pague un terno de gala.

JUANITO VENTOLERA.—Todo se andará, con la ceguera que me muestra.

PEDRO MASIDE.—¡La ocurrencia de vestirte la ropa del difunto te la sopló el Diablo!

JUANITO VENTOLERA.—¿Tan mala os parece?

PEDRO MASIDE.—Tiene dos caras esa moneda.

EL BIZCO MALUENDA.—La ocurrencia no es para despreciada. Ahora que se requiere un corazón muy intrépido.

JUANITO VENTOLERA.—Yo lo tengo.

FRANCO RICOTE.—Si te falta, se te viene encima todo el batallón de los muertos.

JUANITO VENTOLERA.—No me faltará.

FRANCO RICOTE.—Me alegraré.

JUANITO VENTOLERA.—¿Ninguno quiere darme su ayuda?

EL BIZCO MALUENDA.—Me parece que ninguno.

PEDRO MASIDE.—Yo, por mi parte, no. Para pelear con hombres, cuenta conmigo, pero no para despojar muertos.

---

[62] *Paquete:* hombre que sigue rigurosamente las modas y va muy compuesto *(DRAE).*

[63] *Flus:* anota Senabre: «en algunos países americanos, en efecto, *flux* equivale a "terno", traje masculino completo».

[64] *De ganchete:* del brazo.

[65] *Camelar:* gitanismo que quiere decir aquí seducir.

[66] *Apoquinar:* pagar.

JUANITO VENTOLERA.—¿Pues qué otra cosa se hacía en campaña?

PEDRO MASIDE.—No es lo mismo.

FRANCO RICOTE.—Claramente que no. En un camposanto la sepultura es tierra sagrada.

JUANITO VENTOLERA.—¡No se me había ocurrido este escrúpulo!

EL BIZCO MALUENDA.—¡Que salgas avante[67]!

FRANCO RICOTE.—Tienes plato en la cena.

ESCENA CUARTA

Casa de la Sotera: Huerto con emparrados. Luna y luceros, bajo los palios de la vid, conciertan penumbras moradas y verdosas. A la vera alba del pozo, fragante entre arriates de albahaca, está puesta una mesa con manteles. La camarada[68] de los tres pistolos mata la espera con el vino chispón de aquel pago, y decora el triple gesto palurdo con perfiles flamencos.

PEDRO MASIDE.—Ese punto, no más parece. Filo de las doce tenemos. ¿Qué se hace?

EL BIZCO MALUENDA.—Pedir la cena.

FRANCO RICOTE.—Esperémosle un rato por si llega. Estaría divertido que el difunto se lo hubiese llevado de las orejas al Infierno.

EL BIZCO MALUENDA.—¡Vaya un barbián[69]!

FRANCO RICOTE.—¿Tú de qué le conoces, Maside?

---

67 *Salir avante:* llegar a buen fin.

68 *Camarada:* grupo.

69 *Barbián:* individuo simpático y decidido.

PEDRO MASIDE.—Somos de pueblos vecinos.

EL BIZCO MALUENDA.—¿Gallego es ese sujeto? No lo aparenta.

PEDRO MASIDE.—¿Y por qué no? Galicia da hombres tan buenos como la mejor tierra.

EL BIZCO MALUENDA.—Para cargar fardos.

PEDRO MASIDE.—No sabes ni la media[70]. Y con ese hablar descubres que tan siquiera estás al tanto de lo que ponen los papeles. ¿Tú has visto retratado el Ministerio? Este amigo que calla, lo ha visto y dirá si no vienen allí puestos cuatro gallegos.

EL BIZCO MALUENDA.—¡Ladrones de la política!

PEDRO MASIDE.—¡Tampoco te contradigo! Pero muy agudos y de mucho provecho.

EL BIZCO MALUENDA.—¡Para sus casas!

PEDRO MASIDE.—Para ministros del Rey.

EL BIZCO MALUENDA.—¿Vas con eso a significar que sois los primeros?

PEDRO MASIDE.—¡Tampoco somos los últimos!

FRANCO RICOTE.—La tierra más pelada puede dar hombres de mérito, amigos.

EL BIZCO MALUENDA.—¡Gachó! ¡Tú has dicho la mejor sentencia!

FRANCO RICOTE.—Pues me beberé el chato del pelmazo que nos tiene enredados en la espera.

EL BIZCO MALUENDA.—¡Y que se retarda!

PEDRO MASIDE.—¡Si los difuntos se levantaron en batallón, ha de verse negro para salir del camposanto!

EL BIZCO MALUENDA.—¡Ese toque de llamada se queda para el día del Juicio Final!

---

[70] *La media:* abreviación de la expresión: «no saber de la misa la media», que el *DRAE* define como «ignorar una cosa o no saber dar razón de ella».

PEDRO MASIDE.—¡Como le hagan la rueda, no se verá libre hasta la del alba! Cuantos han pasado por ello, tienen dicho haber peleado toda la noche, y que los muertos caían y se levantaban.

FRANCO RICOTE.—Ello está claro. A los muertos no se les mata.

EL BIZCO MALUENDA.—No creo una palabra de tales peteneras [71].

PEDRO MASIDE.—¡La creencia no se enseña!

EL BIZCO MALUENDA.—¡Que se pronuncien los difuntos me parece una pura camama! ¡Para tus luces, este mundo y el otro bailan en pareja!

PEDRO MASIDE.—Hay correspondencia.

EL BIZCO MALUENDA.—¿Y batallones sublevados?

PEDRO MASIDE.—Estoy pelado al cero.

EL BIZCO MALUENDA.—¿Y Capitanes Generales descontentos?

PEDRO MASIDE.—Vamos a dejarlo.

EL BIZCO MALUENDA.—¡Panoli [72]! ¡En el otro mundo no se reconocen los grados!

PEDRO MASIDE.—Poco se me da [73] de tu pitorreo.

Aparece JUANITO VENTOLERA, *transfigurado con las galas del difunto. Camisa planchada, terno negro, botas nuevas con canto de grillos. Ninguna cobertura en la cabeza: Bajo la luna, tiene un halo verdoso.*

JUANITO VENTOLERA.—¡Salud, amigos! Hay que dispensar el retardo.

EL BIZCO MALUENDA.—A tiempo llegas.

---

[71] *Petenera:* fantasía, disparate.
[72] *Panoli:* apocado, ingenuo.
[73] *Se me da:* me importa.

PEDRO MASIDE.—Ya estábamos con algún recelo.

FRANCO RICOTE.—Te habíamos sospechado de orejas en el Infierno.

EL BIZCO MALUENDA.—Y alguno, con el batallón de muertos a la rueda rueda de pan y canela.

JUANITO VENTOLERA.—Ése ha sido mi paisano Pedro Maside.

PEDRO MASIDE.—Justamente. Tú habrás librado sin contratiempo, pero ello no desmiente lo que otros cuentan.

JUANITO VENTOLERA.—¿No me oléis a chamusco[74]? He visitado las calderas del rancho que atiza Pedro Botero[75].

EL BIZCO MALUENDA.—¿Y lo has probado?

JUANITO VENTOLERA.—Y me ha sabido a maná. En el cuartel lo quisiéramos.

EL BIZCO MALUENDA.—¡Bébete un chato, y cuenta por derecho! ¿El vestido que traes es la propia mortaja del fiambre[76]?

JUANITO VENTOLERA.—¡La propia!

FRANCO RICOTE.—¿Lo has dejado en cueros?

JUANITO VENTOLERA.—Le propuse la changa con mi rayadillo, y no se mostró contrario.

EL BIZCO MALUENDA.—Visto lo cual, habéis changado.

JUANITO VENTOLERA.—Veo que lo entiendes.

EL BIZCO MALUENDA.—El terno es fino.

JUANITO VENTOLERA.—De primera.

EL BIZCO MALUENDA.—Y te va a la medida. Sólo te falta un bombín para ser un pollo petenera[77]. El patrón se lo

---

[74] *Chamusco:* a chamusquina. *Oler a chamusquina,* se decía de las palabras o discursos peligrosos en materia de fe *(DRAE).*

[75] *Las calderas de Pedro Botero:* es denominación popular muy extendida para referirse al infierno.

[76] *Fiambre:* cadáver.

[77] *Pollo petenera:* anota Senabre: «variante de *pollo pera,* joven afectadamente elegante».

habrá olvidado en la percha, y debes reclamárselo a la viuda.

JUANITO VENTOLERA.—Me das una idea...

EL BIZCO MALUENDA.—¿Tendrías redaños?

JUANITO VENTOLERA.—Aventúrate unas copas.

PEDRO MASIDE.—¡Sobrepasaba el escarnio!

FRANCO RICOTE.—¡Ni el tan mentado Juan Tenorio! ¡Y tú, gachó, no hables en verso!

EL BIZCO MALUENDA.—Te aventuro los cuatro cafeses [78].

JUANITO VENTOLERA.—¡Van! ¿Y vosotros no queréis jugaros la copa?

FRANCO RICOTE.—¿Tú te la juegas?

JUANITO VENTOLERA.—¡Dicho está!

EL BIZCO MALUENDA.—¡Gachó! ¡Te hago la apuesta aun cuando me toque ser paduano [79]! Vamos a ver hasta dónde llega tu rejo [80].

JUANITO VENTOLERA.—La visita a la viuda no pasa de ser un cumplimiento.

EL BIZCO MALUENDA.—¿Qué plazo le pones?

JUANITO VENTOLERA.—Esta noche, después de la cena. ¿Tú no apuestas nada, paisano Maside? ¿Temes perder?

PEDRO MASIDE.—Tengo conciencia, y no quiero animarte por el camino que llevas.

JUANITO VENTOLERA.—¿Tan malo te parece, paisano?

PEDRO MASIDE.—De perdición completa.

JUANITO VENTOLERA.—Dando la cara no hay bueno ni malo.

---

[78] *Cafeses:* forma popular por cafés, abundante en el género chico.

[79] *Paduano:* anota Senabre: «probable adopción del gallego *paduano*, "atontado"; y cruce semántico con *pagano*, "el que paga"».

[80] *Rejo:* resistencia.

PEDRO MASIDE.—Para vivir seguro, fuera de ley, se requieren muchos parneses [81]. Das la cara, y te sepultan en presidio.

FRANCO RICOTE.—O te tullen para toda la vida con un solfeo.

JUANITO VENTOLERA.—¡Hay que ser soberbio y dar la cara contra el mundo entero! A mí me cae simpático el Diablo.

PEDRO MASIDE.—Con dar la cara no acallas la conciencia.

JUANITO VENTOLERA.—Yo respondo de todas mis acciones, y con esto sólo, ninguno me iguala. El hombre que no se pone fuera de la ley, es un cabra.

EL BIZCO MALUENDA.—Con otros chatos lo discutiremos.

ESCENA QUINTA

La botica, con dos sombras en la acera, sobre las luces mágicas del ojo nigromante [82]. *Dentro, la viuda enlutada, con parches en las sienes, hace ganchillo tras el mostrador. Maja* EL GALOPÍN *en el gran mortero.* EL SACRISTÁN *y* EL RAPISTA [83], *aparejados* [84], *saludan en la puerta.*

EL RAPISTA.—Está usted muy solitaria, Doña Terita. Las amigas debieran hacer más por acompañarla en estas tristes circunstancias.

LA BOTICARIA.—Y no me falta su consuelo. Ahora se fueron las de enfrente.

---

[81] *Parneses:* plural del gitanismo *parné,* dinero.

[82] *Ojo nigromante:* se refiere al «ojo del boticario», que aparecía antes en la escena segunda.

[83] *Rapista:* barbero.

[84] *Aparejados:* emparejados.

EL SACRISTÁN.—Visto como usted se había quedado tan sola, hemos entrado.

LA BOTICARIA.—Pasen ustedes. ¡Niño, deja esa matraca, que me quiebras la cabeza!

EL RAPISTA.—Doña Terita, usted siempre a la labor de ganchillo, sobreponiéndose a su acerba pena.

LA BOTICARIA.—Crea usted que me distrae. Niño, echa los cierres.

EL SACRISTÁN.—Da usted ejemplo a muchas vecinas.

LA BOTICARIA.—No faltará quien me moteje.

EL SACRISTÁN.—¡Qué reputación no muerde la envidia, mi señora Doña Terita!

EL RAPISTA.—¡Y en esta vecindad!

EL SACRISTÁN.—Por donde usted vaya verá los mismos ejemplos, Doña Terita. Toda la España es una demagogia. Esta disolución viene de la Prensa.

EL RAPISTA.—Ahora le han puesto mordaza.

EL SACRISTÁN.—Cuando el mal no tiene cura.

EL RAPISTA.—¡Y tampoco es unánime en el escalpelo toda la Prensa! La hay mala y la hay buena. Vean ustedes publicaciones como *Blanco y Negro.* Doña Terita, si usted desea distraerse algún rato, disponga usted de la colección completa. Es la vanagloria que tiene un servidor y el ornato de su establecimiento.

LA BOTICARIA.—Creo que trae muy buenas cosas esa publicación.

EL RAPISTA.—¡De todo! Retratos de las celebridades más célebres. La Familia Real, *Machaquito*[85], *La Imperio*[86]. ¡El

---

[85] *Machaquito:* anota Senabre: «apodo del célebre torero cordobés Rafael González Madrid (1880-1965), que gozó de gran popularidad a comienzos de siglo».

[86] *La Imperio:* se refiere a la célebre bailarina Pastora Imperio, muy admirada entonces.

célebre toro *Coronel!* ¡El fenómeno más grande de las plazas españolas, que tomó quince varas y mató once caballos! En bodas y bautizos publica fotografías de lo mejor. Un emporio de recetas: ¡Allí, culinarias! ¡Allí, composturas para toda clase de vidrios y porcelanas! ¡Allí, licorería! ¡Allí, quitamanchas!...

EL RAPISTA, *menudo, petulante, apologético, cachea en la petaca, sopla las hojas de un librillo, y una que arranca se la pega en el labio.* EL SACRISTÁN, *con aire cazurro, por las sisas de la sotana se registraba los calzones: Saca, envuelto en un pañuelo de yerbas, el cuaderno de la Cofradía del Santo Sepulcro: Con la uña anota una página y se la muestra a la viuda, que suspira, puestos los lentes en la punta de la nariz.*

EL SACRISTÁN.—¡Doña Terita, si no le sirve de molestia, quiere usted pasar la vista por esta anotación y firmar en ella su conforme? ¡Siempre en el supuesto de que no le sirva de molestia!

LA BOTICARIA.—¡Pero aquí, qué pones?

EL SACRISTÁN.—El pico del entierro.

LA BOTICARIA.—¡Pero tú tienes conciencia?

EL SACRISTÁN.—Me parece.

LA BOTICARIA.—¡Esta cuenta es un sacrilegio!

EL SACRISTÁN.—Doña Terita, es usted la mar de célebre.

LA BOTICARIA.—¡Un robo escandaloso! ¡Siete duros de cera!

EL SACRISTÁN.—Y aún pierde siete reales la iglesia. La cera consumida sube ese pico. Siete reales que pierde la iglesia.

LA BOTICARIA.—¡El armonio cinco duros! ¡Pero cuándo se ha visto?

EL SACRISTÁN.—El armonio y dos cantores. ¡Es la tarifa!

LA BOTICARIA.—¡Con estos precios ahuyentáis la fe! ¡Las misas a once reales es un escándalo! ¡Pero adónde me van a subir las misas Gregorianas?...

EL SACRISTÁN.—¡Y la rebaja de pena que usted puede llevar con esos sufragios al finado! ¡Todo hay que ponerlo en balanza, Doña Terita!

LA BOTICARIA.—Las indulgencias no debían cobrarse.

EL SACRISTÁN.—¡Sin eso, a morir! ¡Usted considere que no tiene otras aduanas la Santa Madre Iglesia!

EL RAPISTA.—Opino como Doña Terita. La Iglesia debía operar con mayor economía. No digamos de balde, pero casamientos, bautizos y sepelios están sobrecargados en un cincuenta por ciento.

LA BOTICARIA.—¡Y eso no se llama usura!

EL SACRISTÁN.—¡Que va usted degenerando en herética, Doña Terita!

LA BOTICARIA.—¡Pues vele con el cuento al Nuncio Apostólico!

EL SACRISTÁN.—Usted está nerviosa.

LA BOTICARIA.—¡Cómo no estarlo!

EL RAPISTA.—Doña Terita, visto el mal resultado de este amigo, yo me najo [87] sin presentar mi factura.

LA BOTICARIA.—Puede usted hacerlo.

EL RAPISTA.—¿No será demasiada jaqueca?

LA BOTICARIA.—¡Ya que estoy en ello!... Niño, apaga los globos de la puerta.

EL RAPISTA, *con destreza de novillero, salta por encima del mostrador: Finústico* [88] *y petulante, le presenta el papel*

---

[87] *Najarse:* gitanismo: marcharse.

[88] *Finústico:* anota Senabre: «derivación jocosa de *fino,* que se utilizó bastante en aquellos años».

a la viuda, que lo repasa alzándose los lentes, sin cabalgarlos: Gesto desdeñoso y resignado de pulcra Artemisa Boticaria.

EL RAPISTA.—Doña Terita, si le parece dejarlo para otra ocasión, no se hable más, y a sus órdenes.

LA BOTICARIA.—Liquidaremos ahora. ¿Qué ha puesto usted aquí? ¡Una peseta!

EL RAPISTA.—Pastilla jabón d'olor, para adecentamiento del finado.

LA BOTICARIA.—¿Y esta partida?

EL RAPISTA.—De hacerle la barba.

LA BOTICARIA.—Mi finado tenía con usted un arreglo.

EL RAPISTA.—¡Doña Terita, esa partida está rebajada en un cincuenta por ciento! Yo le hago la barba a un viviente por tres perras, pero usted no se representa lo que impone un muerto enjabonado. ¡Y su esposo no ha sido de los menos! También tenga usted por sabido que las barbas de los muertos son muy resistentes y mellan toda la herramienta.

LA BOTICARIA.—¡Dos pesetas es un escándalo!

EL RAPISTA.—Pues pone usted aquello que tenga voluntad. Y si no quiere poner nada, borra el cargo de la factura.

LA BOTICARIA.—Naturalmente. ¿Quiere usted cobrar ahora?

EL RAPISTA.—Si lo tiene por bueno.

LA BOTICARIA.—Tres cincuenta. ¡Qué robo más escandaloso!

EL SACRISTÁN.—Doña Terita, es usted la mar de célebre.

LA BOTICARIA.—Niño, entorna la puerta.

EL SACRISTÁN.—Doña Terita, si acuerda que se digan las Gregorianas, sírvase pasar un aviso a la Parroquia. Y no la molesto más, que usted desea retirarse a las sábanas.

EL RAPISTA.—Doña Terita, suscribo las palabras del amigo. En su situación de viuda nerviosa, la mejor medicina es el descanso.

La viuda suspira, aprieta la boca, se abstrae en la contemplación de sus manos con mitones. EL GALOPÍN, *al canto de la puerta, desdobla media hoja. Se enhebran por la abertura* SACRISTÁN *y rapabarbas.*

ESCENA SEXTA

En el cielo raso, un globo de luz. Alcoba grande y pulcra, cromos y santicos por las paredes. El tálamo de hierro fundido y boliches de cristal traslúcido, perfila bajo la luz, el costado donde roncaba el difunto. En la pila del agua bendita, un angelote toca el clarinete —alones azules, faldellín movido al viento, las rosadas pantorrillas en un cruce de bolero—. Entra DOÑA TERITA *quitándose los postizos del moño: Se detiene en el círculo de luz, con una horquilla atravesada en la boca. Resuena la casa con fuertes aldabonazos.* DOÑA TERITA, *soltándose las enaguas, retrocede a la puerta.*

LA BOTICARIA.—Asómate, niño, a la ventana. Mira quién sea. No abras sin bien cerciorarte.

EL GALOPÍN.—¡Qué más cercioro! Por el estruendo que mete es el punto [89] alojado.

LA BOTICARIA.—Pues no le abras. Que duerma al sereno.

EL GALOPÍN.—Es muy capaz de apedrearnos las tejas.

---

[89] *Punto:* tunante, pícaro.

LA BOTICARIA.—¡Pues no se le abre! ¡Ese hombre me da miedo!

EL GALOPÍN.—¡Tendremos escándalo toda la noche!

LA BOTICARIA.—¡Ya se cansará de repicar!

EL GALOPÍN.—Viene de la taberna, y el vino es muy temoso[90].

Cesan los golpes. La casa queda en silencio. Parpadea una mariposa en el globo de luz. LA BOTICARIA *y el dependiente, en asustada mudez, alargan la oreja. Alguien ha rozado los hierros del balcón.*

EL GALOPÍN.—¡Ahí le tenemos!

LA BOTICARIA.—¡Jesús, mil veces! ¡Artes de ladrón tiene el malvado!

EL GALOPÍN.—¡Nada se sacó con dejarle fuera!

Saltan con fracaso[91] *de cristales, estremecidas, rebotantes, las puertas del balcón.* JUANITO VENTOLERA, *entre los quicios, algarero*[92] *y farsante, hace una reverencia.*

JUANITO VENTOLERA.—Doña Terita, traigo para usted una visita de su finado.

LA BOTICARIA.—¡A la falta de respeto une usted el escarnio!

JUANITO VENTOLERA.—¡Palabra, Doña Terita! El difunto me ha designado por su albacea, y usted puede comprobar que no digo mentira si se digna concederme una mi-

---

[90] *Temoso:* insistente, pesado.

[91] *Fracaso:* Caída o ruina de una cosa con estrépito o rompimiento *(DRAE).*

[92] *Algarero:* alborotador.

rada de sus bellos ojos. ¿Teme usted enamorarse, Doña Terita? No lo deje usted por ese miramiento, que tendrá usted por mi parte una fina correspondencia.

LA BOTICARIA.—¡Váyase usted, o alboroto la vecindad y la duerme usted en la cárcel!

JUANITO VENTOLERA.—Doña Terita, mejor le irá conservándose afónica.

JUANITO VENTOLERA *entra en la alcoba, haciendo piernas, mofador y chispón*[93], *los brazos en jarra.* DOÑA TERITA *se desploma perlática*[94]: *En el círculo de luz queda abierto el ruedo de las faldas.* EL GALOPÍN, *revolante el mandilón, se acoge a la puerta.* DOÑA TERITA *se dramatiza con un grito.*

LA BOTICARIA.—¡Niño, no me dejes!

JUANITO VENTOLERA.—¡Doña Terita, usted me ofende con ese recelo! ¡No vea usted en mí al punto alojado! Es una visita del llorado cadáver la que le traigo, téngalo usted presente. Si entro por el balcón, usted lo ha impuesto no queriendo franquearme la puerta.

LA BOTICARIA.—Se irá usted a dormir fucra. Yo le pago la posada.

DOÑA TERITA *se tuerce sobre el regazo la faltriquera, y cuenta las perronas: Con ellas van saliendo el alfiletero, las llaves, un ovillo de lana.*

JUANITO VENTOLERA.—Es poco el suelto, Doña Terita.

LA BOTICARIA.—¡Dos pesetas! ¡Muy suficiente!

---

93 *Chispón:* achispado, borracho.

94 *Perlática:* paralizada.

JUANITO VENTOLERA.—¡Una pringue! Menda[95] se hospeda en los mejores hoteles. Ya lo discutiremos, si usted se obceca. Sepa usted que el llorado cadáver se ha conducido con un servidor para no olvidarlo en la vida. Si usted me otorgase alguna de sus dulces miradas, tendría el comprobante.

LA BOTICARIA.—¡Respete usted la memoria de mi esposo! ¡No más escarnios!

JUANITO VENTOLERA.—Es usted una viuda por demás acalorada.

LA BOTICARIA.—¡Váyase usted!

JUANITO VENTOLERA.—Estoy aquí para recoger el bombín y el bastón del difunto. ¡Me los ha legado! ¿Reconoce usted el terno? ¡Me lo ha legado! ¡Un barbián el patrón! ¡Se antojó disfrazarse con mi rayadillo, para darle una broma a San Pedro! Repare usted el terno que yo visto. Hemos changado y vengo por el bombín y el bastón de borlas. Va usted a dármelos. Se los pido en nombre del llorado cadáver. Levante usted la cabeza. Descúbrase los ojos. Irrádieme usted una mirada.

Hace en torno de LA BOTICARIA *un bordo de gallo pinturero*[96] *con castañuelas y compases de baile.* LA BOTICARIA *aspa los brazos en el ruedo de las faldas, grita perlática.*

LA BOTICARIA.—¡Cristo bendito! ¡Noche de espantos! ¡Esto es un mal sueño! ¡Sueño renegado! ¡Niño! ¡Niño! ¿Dónde estás? ¡Mójame las sienes! ¡Échame agua en la cara! ¡El espasmódico! ¡No te vayas!

---

[95] *Menda:* gitanismo: yo.

[96] *Pinturero:* dícese de la persona que alardea ridícula o afectadamente de bien parecida, fina o elegante *(DRAE).*

JUANITO VENTOLERA.—¡Doña Terita, deje usted esos formulismos de novela! ¡Propios delirios gástricos! El finado difunto me ha solicitado el rayadillo, para no llevarse prenda de estima al Infierno. Los gritos de usted están por demás. ¡Delirios gástricos! ¡Bastón y bombín para irme de naja[97], que me espera una gachí de mistó[98]! Usted tampoco está mala. ¡Bastón y bombín! ¡Doña Terita, va usted a recrearse mirándome!

LA BOTICARIA.—¡Niño, dame el rosario! ¡Llévame a la cama! ¡Échale un aspergio de agua bendita! ¡Anda suelto el Maligno! ¡Me baila alrededor con negro revuelo! ¡Esposo mío, si estás enojado, desenójate! ¡Tendrás los mejores sufragios! ¡Aunque monten a la luna! ¡Niño, llévame a la cama!

JUANITO VENTOLERA.—¡Niño, vamos a ello y cachea un pañuelo para ponerle mordaza! ¡Vivo y sin atolondrarse! ¡Ya te llegará la tuya!

DOÑA TERITA *se desmaya, asomando un zancajo. El virote mandilón*[99] *hipa turulato.* JUANILLO VENTOLERA *le sacude por la nariz.*

EL GALOPÍN.—¡Ay! ¡Ay! ¡Ay!

JUANITO VENTOLERA.—¡Una soga!

EL GALOPÍN.—¿Y de dónde la saco?

JUANITO VENTOLERA.—De la pelleja.

---

97 *Irse de naja:* gitanismo: marcharse.

98 *Una gachí de mistó:* anota Senabre: «el gitanismo *mistó,* "bien", se acomoda aquí a ciertas construcciones ponderativas con *de* —como *de perlas, de maravilla* y otras análogas— para significar "estupendo", uso introducido en el español coloquial durante la segunda mitad del siglo XIX».

99 *Virote mandilón:* joven torpe.

Le arranca el mandilón y lo hace tiras. EL GALOPÍN *queda en almilla: Un mamarracho, con gran culera remendada, tirantes y alpargates. Se limpia los ojos.*

EL GALOPÍN.—¡Para eso un vendaje Barré!

JUANITO VENTOLERA.—Ese pío llega retrasado. Vamos con la patrona a tumbarla en el catre.

EL GALOPÍN *se mueve, obediente a la voluntad del soldado. Sacan a la desmayada del ruedo haldudo, y la llevan en volandas. Por la cinturilla del jubón negro, la camisa ondula su faldeta. Se apaga la luz oportunamente.*

ESCENA SÉPTIMA

La borrosa silueta por el entresijo de callejones, entrevista la casa del pecado. Bastón y bombín, botas con grillos en las suelas. Esguinces de avinado [100]*. En la sala baja las manflotas* [101] *—flores en el peinado, batas con lazos y volantes— cecean tras de las rejas a cuantos pasan.* JUANITO VENTOLERA, *con un esguince en la puerta.*

JUANITO VENTOLERA.—¡Vengo a dejaros la plata! ¡Se me ha puesto convidaros a todas! Si no hay piano, se busca. ¡Aquí se responde con cartera! ¡Madre Priora, quiero llevarme una gachí! ¡Redimirla! ¿Dónde está esa garza enjaulada [102]?

---

[100] *Esguinces de avinado:* quiebros de borracho.

[101] *Manflotas:* aumentativo de *manfla,* prostituta.

[102] *Garza enjaulada:* así llama Brígida a doña Inés en el *Don Juan Tenorio* (II, 9), de Zorrilla; como se ha explicado en la introducción, Valle parodia este drama y dentro de esa misma parodia se entiende que llame *Madre Priora* a la regidora del prostíbulo.

LA DAIFA.—¡Buena la traes! ¡Te desconocía sin las cruces del pecho! ¿O tú no eres el punto que me habló la noche pasada?

JUANITO VENTOLERA.—¡Juanillo Ventolera, repatriado de Cubita Libre!

LA DAIFA.—¿Por qué no traes puestas las cruces?

JUANITO VENTOLERA.—Se las traspasé a un fiambre. ¡Con ellas podrá darse pisto [103] entre las Benditas del Purgatorio!

LA DAIFA.—¡No hagas escarnio! ¡Entre las benditas hago cuenta que tengo a mi madre!

JUANITO VENTOLERA.—¿Y tu papá, de dónde te escribe?

LA DAIFA.—A ése no lo quiere ni el Diablo.

JUANITO VENTOLERA.—¡Sujeto de mérito!

LA DAIFA.—¡Mira qué ilusión! ¡Cuando te vi llegar, se me ha representado! ¡Bombín y bastón! ¡Majo que te vienes!

JUANITO VENTOLERA.—¡Una hembra tan barbi [104] no pide menos!

LA DAIFA.—¡Algo más gordo era el finado [105]!

JUANITO VENTOLERA.—Aciertas más de lo que sospechas, lo ha llevado antes un muerto. Se lo he pedido para venir a camelarte.

LA DAIFA.—Deja la guasa. ¡Vaya un terno! ¡Y los forros de primera!

JUANITO VENTOLERA.—¡Una ganga!

LA DAIFA.—¡Pues si voy a decirte verdad, mejor me caías con el rayadillo y las cruces en el pecho!

JUANITO VENTOLERA.—¡Las mujeres os deslumbráis con apariencias panolis [106]! ¡Todas al modo de mariposas! Las cruces, de paisano, no visten.

---

[103] *Darse pisto:* presumir.
[104] *Barbi:* forma apocopada de *barbiana,* simpática, hermosa.
[105] *Finado:* difunto.
[106] *Panolis:* apocados, ingenuos.

LA DAIFA.—¡Me gustabas más con las cruces!

JUANITO VENTOLERA.—¡No visten! ¡Vamos, niña, a ponerme los ojos tiernos!... ¡A mudar de tocata [107], y a darme el opio [108] con tus miradas!

LA DAIFA.—¿Y si me negase? ¿Me declaré por un acaso tu fiel esclava? ¡A mí no me chulea ni el rey de los ochos [109], para cuantimás Juanillo Ventolera!

JUANITO VENTOLERA.—Por achares no entro [110], paloma. Soy piloto de todos los mares y no me cogen de sobresalto cambios de veleta. Déjame paso, que me está haciendo tilín aquella morocha [111].

LA DAIFA.—Primero convida, y si te duele hacer la jarra, yo pago los cafeses.

JUANITO VENTOLERA.—¿Con copa?

LA DAIFA.—Copa y cajetilla de habanos.

JUANITO VENTOLERA.—Dirás luego que te chuleo, cuando eres tú propia quien me busca la vueltas, como a Cristo la María Magdalena. ¡Yo pago los cafeses y cuanto se tercie! ¡Y si te hallo de mi gusto te redimo! ¡Se responde con cartera! ¡Madre Celeste [112], a cerrar las puertas! ¡Esta noche reina aquí Juanito Ventolera!

---

107 *Mudar de tocata:* cambiar de conversación.

108 *Dar el opio:* comenta Senabre: «propiamente, "excitar, dar apetencia"».

109 *El rey de los ochos:* basado en el dicho popular «ser más chulo que un ocho», referido a la gracia y exactitud de la forma caligráfica que José Francisco de Iturzaeta recomendaba para escribir el guarismo «ocho», cuyas curvas parecían trazadas a compás.

110 *Entrar por achares: achares* es un gitanismo: celos.

111 *Morocha:* morena.

112 *Madre Celeste:* continúan las referencias paródicas al *Tenorio* y además, como anota Senabre: «equívoco malicioso, ya que *celeste* es adjetivo relativo a *cielo* y, al mismo tiempo, un derivado regresivo de *Celestina*».

El bulto encapuchado del farol y el chuzo aparece por la esquina. LA MADRE *Celeste arruga el ruedo de las faldas, metiéndose por medio entre* LA DAIFA *y el soldado.*

LA MADRE.—¡A no mover escándalo! ¡Niña, al adentro! ¡Basta de changüí [113], que palique en puerta sólo gana resfriados! Si este boquillero [114] quiere juerga, que afloje los busiles [115].

JUANITO VENTOLERA.—Tengo en la bolsa un kilo de billetaje.

LA MADRE.—Con que saques un veragua [116]...

JUANITO VENTOLERA.—¡Voy a cegarte!

Se desabotona y palpa el pecho. Del bolsillo interior extrae una carta cerrada. Se mete por la sala de daifas con el sobre en la mano, buscando luz para leerlo: Queda en el círculo de la lámpara.

JUANITO VENTOLERA.—Correo de difuntos. Sin franqueo. Señor Don Sócrates Galindo.

LA DAIFA.—Deja las burlas. ¿De dónde conoces a ese sujeto?

JUANITO VENTOLERA.—¡Mi ex patrón!

LA DAIFA.—¿El boticario de Calle Nueva?

JUANITO VENTOLERA.—El mismo.

LA DAIFA.—¡Qué enredo malvado! ¿Te habló de mí? ¿Cómo averiguaste el lazo que conmigo tiene?

---

[113] *Changüí:* engaño.

[114] *Boquillero:* charlatán y fanfarrón, que habla de boquilla.

[115] *Busiles:* anota Senabre: «el significado "dinero" es deducible del contexto, aunque se trata sin duda de una alteración de *busilis,* "misterio", clave de un asunto».

[116] *Veragua:* billete de banco de mil pesetas.

JUANITO VENTOLERA.—No entro por achares. De tu pasado, morena, no se me da nada.

LA DAIFA.—Pues tú me has tirado la pulla.

JUANITO VENTOLERA.—He leído el nombre que viene en el sobre.

LA DAIFA.—¿Y esa carta, cómo está en tus manos? ¿Quieres aclarármelo?

JUANITO VENTOLERA.—Venía en el terno.

Las niñas se acunan en las mecedoras: Fuman cigarrillos de soldado, deleitándose con pereza galocha[117]*; un hilo de humo en la raja pintada de la boca. La tía coruja, que se recose el zancajo bajo la escalerilla, susurra con guiño, quebrando la hebra.*

LA BRUJA.—¿Cuántos cafeses?

JUANITO VENTOLERA.—Para toda la concurrencia.

LA MADRE.—¡Alumbra por delante el pago, moreno!

JUANITO VENTOLERA.—Madre Celeste, tengo para comprarte todo el ganado.

JUANITO VENTOLERA *posa la carta en el velador, entre la baraja y el plato de habichuelas: Torna a palparse los bolsillos, y muestra un fajo de billetes. Se guarda los billetes, rasga el sobre de la carta y saca un pliego de escritura torcida.*

JUANITO VENTOLERA.—«Querido padre: Por la presente considere el arrepentimiento de esta su hija, que se reputa como la más desgraciada de las mujeres».

LA DAIFA.—¡Esa carta yo la escribí! ¡Mi carta! Juanillo Ventolera, rompe ese papel. ¡No leas más! ¡Si te pagan por

---

[117] *Galocha:* indolente.

venir a clavarme ese puñal, ya tienes cumplido! ¡Dame esa carta!

JUANITO VENTOLERA.—¿Tú la escribiste?

LA DAIFA.—Yo misma.

JUANITO VENTOLERA.—¡Miau! ¡Vas a darte por hija del difunto!

LA DAIFA.—¡Difunto mi padre!

JUANITO VENTOLERA.—¡Qué enredo macanudo [118]!

LA DAIFA.—¡Responde! ¿Difunto mi padre?

JUANITO VENTOLERA.—¿El boticario de Calle Nueva?

LA DAIFA.—¡Justamente!

JUANITO VENTOLERA.—¡Mi ex patrón! Hoy ha recibido tierra el autor de tus días. Ayer estiró el remo [119]. ¡Niña, los dos heredamos!

LA DAIFA.—¡Qué relajo de guasa!

JUANITO VENTOLERA.—¡Este flux tan majo le ha servido de mortaja! Me propuso la changa para darle una broma a San Pedro. ¡Has heredado! ¡Eres huérfana! ¡Luz de sol el sol la toma [120], no te mires más para desmayarte!

LA DAIFA.—¡Ay, mi padre!

LA MADRE.—¡Sujetadle las manos para que no se arañe el físico! ¡Que huela vinagre! ¡Satanás de los Infiernos, éstos son los cafeses a que convidabas!

La tía coruja acude con un botellín. Dos NIÑAS *sujetan las manos de la desmayada: Enseña las ligas, se le suelta el moño, suspira con espasmo histérico.* JUANILLO VENTOLERA, *en tanto la asisten, hace lectura de la carta.*

---

[118] *Macanudo:* adjetivo encomiástico, de origen argentino.

[119] *Estirar el remo:* variante de *estirar la pata,* morir.

[120] *Luz de donde el sol la toma:* frase que corresponde a la carta que don Juan envía a doña Inés (III, 3): «Doña Inés del alma mía, / luz de donde el sol la toma, / hermosísima paloma / privada de libertad...».

JUANITO VENTOLERA.—«Querido padre: Por la presente considere usted el arrepentimiento de esta hija que se reputa como la más desgraciada de las mujeres. Una mujer abandonada, considere, padre mío, que es puesta en los brazos del pecado. Considere, padre mío, qué cosa tan triste buscar trabajo y hallar cerradas todas las puertas. Así que usted verá. Considere, padre mío, que, falta de recursos, muerta de hambre sin este trato de mi cuerpo aborrecido, estuve en el hospital sacramentada, y todos allí me daban por muerta. ¡Vea, padre mío, cómo me veo castigada! Recibí el recado que me mandó por la asistenta, y debo decirle no ser verdad que yo arrastre su honra, pues con esa mira cambié mi nombre, y digo en todas partes que me llamo Ernestina. No tiene, pues, nada que recelar, que siempre fui hija amantísima, y no iba ahora a dejar de serlo. En cuanto a lo otro que me manda decir, también lo haré. Conforme estoy en irme adonde no se sepa de mi vida. Pero tengo una deuda en la casa donde estoy, y el ama me retiene la ropa. Sin eso, ya me hubiese ido a Lisboa. Dicen que allí las españolas son muy estimadas. Las compañeras que conocen aquello lo ponen por cima de Barcelona. El viaje cuesta diez duros. Tocante a la deuda, con pagar la mitad ya me dejan sacar el baúl. Padre mío, levánteme su maldición, mire por esta hija. No volveré a molestarle. La cantidad que le señalo es la menos con que puedo arreglarme, y a su buen corazón se encomienda esta su hija que lo es, Ernestina. Así es como deben preguntar. Casa de la Carmelitana, Entremuros, 37».

UNA NIÑA.—¡Está bien puesta la carta!

OTRA NIÑA.—¡La sacó del Manual!

LA MADRE.—Juanillo, hojea el billetaje. Después de este folletín los cafeses son obligados.

ESPERPENTO DE LOS CUERNOS DE DON FRIOLERA

DRAMATIS PERSONAE

DON ESTRAFALARIO Y DON MANOLITO, INTELECTUALES
UN BULULÚ Y SUS CRISTOBILLAS
EL TENIENTE DON FRIOLERA, DOÑA LORETA, SU MUJER Y MANOLITA, FRUTO DE ESTA PAREJA
PACHEQUÍN, BARBERO MARCHOSO
DOÑA TADEA, BEATA COTILLONA
NELO EL PENEQUE, EL NIÑO DEL MELONAR
Y CURRO CADENAS, MATUTEROS
DOÑA CALIXTA, LA DE LOS BILLARES
BARALLOCAS, MOZO DE LOS BILLARES
LOS TENIENTES DON LAURO ROVIROSA, DON GABINO CAMPERO Y DON MATEO CARDONA, EL CORONEL Y LA CORONELA
UN CIEGO ROMANCISTA
UN CARABINERO
MERLÍN, PERRILLO DE LANAS
UNA COTORRA

La acción en San Fernando del Cabo, perla marina de España

PRÓLOGO

Las ferias de Santiago el Verde, en la raya portuguesa. El corral de una posada, con entrar y salir de gentes, tratos, ofertas y picardeo[1]*. En el arambol*[2] *del corredor, dos figuras asomadas: Boinas azules, vasto entrecejo, gozo contemplativo casi infantil y casi austero, todo acude a decir que aquellas cabezas son vascongadas. Y así es lo cierto. El viejo rasurado, expresión mínima y dulce de lego franciscano, es* DON MANOLITO EL PINTOR: *Su compañero, un espectro de antiparras y barbas, es el clérigo hereje que ahorcó los hábitos en Oñate.—La malicia ha dejado en olvido su nombre, para decirle* DON ESTRAFALARIO.—*Corren España por conocerla, y divagan alguna vez proyectando un libro de dibujos y comentos*[3].

DON ESTRAFALARIO.—¿Qué ha hecho usted esta mañana, Don Manolito? ¡Tiene usted la expresión del hombre que ha mantenido una conversación con los ángeles!

DON MANOLITO.—¡Qué gran descubrimiento, Don Estrafalario! ¡Un cuadro muy malo, con la emoción de Goya y del Greco!

---

[1] *Picardeo:* derivación de *picardear,* hacer que alguien adquiera malicias.
[2] *Arambol:* balaustrada de la escalera.
[3] *Comento:* comentario.

DON ESTRAFALARIO.—¿Ese pintor no habrá pasado por la Escuela de Bellas Artes?

DON MANOLITO.—No ha pasado por ninguna escuela. ¡Hace manos de seis dedos, y toda clase de diabluras con azul, albayalde y amarillo!

DON ESTRAFALARIO.—¡Debe ser un genio!

DON MANOLITO.—¡Un bárbaro!... ¡Da espanto!

DON ESTRAFALARIO.—¿Y dónde está ese cuadro, Don Manolito?

DON MANOLITO.—Lo lleva un ciego.

DON ESTRAFALARIO.—Ya lo he visto.

DON MANOLITO.—¿Y qué?

DON ESTRAFALARIO.—Que si usted quiere, lo compraremos a medias.

DON MANOLITO.—El tuno que lo lleva, no lo vende.

DON ESTRAFALARIO.—¿Se lo ha puesto usted en precio?

DON MANOLITO.—¡Naturalmente! ¡Y se lo pagaba bien! ¡Llegué a ofrecerle hasta tres duros!

DON ESTRAFALARIO.—En cinco puede ser que nos lo deje.

DON MANOLITO.—Vale ese dinero. ¡Hay un pecador que se ahorca, y un diablo que ríe, como no los ha soñado Goya!... Es la obra maestra de una pintura absurda. Un Orbaneja[4] de genio. El Diablo que saca la lengua y guiña el ojo, es un prodigio. Se siente la carcajada. Resuena.

DON ESTRAFALARIO.—También a mí me ha preocupado la carantoña del Diablo frente al Pecador. La verdad es que

---

[4] *Orbaneja:* como ha quedado comentado en la introducción, Orbaneja remite a la anécdota que recoge *El Quijote* (II, 3) sobre Orbaneja, «el pintor de Úbeda, el cual preguntándole qué pintaba, respondió: lo que saliere». Se convirtió en sinónimo de mal pintor. En fecha más reciente, J. M. Lavaud ha recordado la coincidencia con el segundo apellido de don Miguel Primo de Rivera y Orbaneja, con lo que habría una irónica alusión al dictador.

tenía otra idea de las risas infernales, había pensado siempre que fuesen de desprecio, de un supremo desprecio, y no: Ese pintor absurdo me ha revelado que los pobres humanos le hacemos mucha gracia al Cornudo Monarca. ¡Ese Orbaneja me ha llenado de dudas, Don Manolito!

DON MANOLITO.—Esta mañana apuró usted del frasco, Don Estrafalario. Está usted algo calamocano[5].

DON ESTRAFALARIO.—¡Alma de Dios, para usted lo estoy siempre! ¿No comprende usted que si al Diablo le hacemos gracia los pecadores, la consecuencia es que se regocija con la Obra Divina?

DON MANOLITO.—En sus defectos, Don Estrafalario.

DON ESTRAFALARIO.—¡Que cae usted en el error de Manes[6]! La Obra Divina está exenta de defectos. No crea usted en la realidad de ese Diablo que se interesa por el sainete humano, y se divierte como un tendero. Las lágrimas y la risa nacen de la contemplación de cosas parejas a nosotros mismos, y el Diablo es de naturaleza angélica. ¿Está usted conforme, Don Manolito?

DON MANOLITO.—Póngamelo usted más claro, Don Estrafalario. ¡Explíquese!

DON ESTRAFALARIO.—Los sentimentales que en los toros se duelen de la agonía de los caballos, son incapaces para la emoción estética de la lidia: Su sensibilidad se revela pareja de la sensibilidad equina, y por caso de cerebración inconsciente, llegan a suponer para ellos una suerte igual a la de aquellos rocines destripados. Si no supieran que guardan treinta varas de morcillas en el arca del cenar, crea usted que no se conmovían. ¿Por ventura los ha visto usted llorar cuando un barreno destripa una cantera?

---

[5] *Calamocano:* borracho.
[6] *Manés:* hereje persa del siglo III, fundador de los maniqueos.

DON MANOLITO.—¿Y usted supone que no se conmueven por estar más lejos sensiblemente de las rocas que de los caballos?

DON ESTRAFALARIO.—Así es. Y paralelamente ocurre lo mismo con las cosas que nos regocijan: Reservamos nuestras burlas para aquello que nos es semejante.

DON MANOLITO.—Hay que amar, Don Estrafalario: La risa y las lágrimas son los caminos de Dios. Ésa es mi estética, y la de usted.

DON ESTRAFALARIO.—La mía no. Mi estética es una superación del dolor y de la risa, como deben ser las conversaciones de los muertos, al contarse historias de los vivos.

DON MANOLITO.—¿Y por qué sospecha usted que sea así el recordar de los muertos?

DON ESTRAFALARIO.—Porque ya son inmortales. Todo nuestro arte nace de saber que un día pasaremos: Ese saber iguala a los hombres mucho más que la Revolución Francesa.

DON MANOLITO.—¡Usted, Don Estrafalario, quiere ser como Dios!

DON ESTRAFALARIO.—Yo quisiera ver este mundo con la perspectiva de la otra ribera. Soy como aquel mi pariente que usted conoció, y que una vez, al preguntarle el cacique, qué deseaba ser, contestó: Yo, difunto.

En el corral de la posada, y al cobijo del corredor, se ha juntado un corro de feriantes. Bajo la capa parda de un viejo ladino[7] *revelan sus bultos los muñecos de un teatro rudimentario y popular.* EL BULULÚ *teclea un aire de fandango en su desvencijada zanfoña, y el acólito, rapaz lleno*

---

[7] *Ladino:* astuto, taimado.

de malicias, se le esconde bajo la capa, para mover los muñecos. Comienza la representación.

EL BULULÚ.—¡Mi Teniente Don Friolera, saque usted la cabeza de fuera!

VOZ DE FANTOCHE.—Estoy de guardia en el cuartel.

EL BULULÚ.—¡Pícara guardia! La bolichera [8], mi Teniente Don Friolera, le asciende a usted a coronel!

VOZ DE FANTOCHE.—¡Mentira!

EL BULULÚ.—No miente el Ciego Fidel.

EL FANTOCHE, *con los brazos aspados y el ros* [9] *en la oreja, hace su aparición sobre un hombro del compadre que guiña el ojo cantando al son de la zanfoña.*

EL BULULÚ.—¡A la jota jota, y más a la jota, que Santa Lilaila parió una marmota! ¡Y la marmota parió un escribano con pluma y tintero de cuerno, en la mano! ¡Y el escribano parió un escribiente con pluma y tintero de cuerno, en la frente!

EL FANTOCHE.—¡Calla, renegado perro de Moisés! Tú buscas morir degollado por mi cuchillo portugués.

EL BULULÚ.—¡Sooo! No camine tan agudo, mi Teniente Don Friolera, y mate usted a la bolichera, si no se aviene con ser cornudo.

EL FANTOCHE.—¡Repara, Fidel, que no soy su marido, y al no serlo no puedo ser juez!

EL BULULÚ.—Pues será usted un cabrón consentido.

---

[8] *Bolichera:* americanismo: dueña de una taberna o *boliche.*

[9] *Ros:* sombrero con visera, que fue introducido como prenda militar por el general Ros de Olano.

EL FANTOCHE.—Antes que eso le pico al nuez. ¿Quién mi honra escarnece?

EL BULULÚ.—Pedro Mal-Casado.

EL FANTOCHE.—¿Qué pena merece?

EL BULULÚ.—Morir degollado.

EL FANTOCHE.—¿En qué oficio trata?

EL BULULÚ.—Burros aceiteros conduce en reata, ganando dineros. Mi Teniente Don Friolera, llame usted a la bolichera.

EL FANTOCHE.—¡Comparece, mujer deshonesta!

UN GRITO CHILLÓN.—¿Amor mío, por qué así me injurias?

EL FANTOCHE.—¡A este puñal pide respuesta!

EL GRITO CHILLÓN.—¡Amor mío, calma tus furias!

Por el otro hombro del compadre, hace su aparición una MOÑA, *cara de luna y pelo de estopa: En el rodete* [10] *una rosa de papel. Grita aspando los brazos. Manotea. Se azota con rabioso tableteo la cara de madera.*

EL BULULÚ.—Si la camisa de la bolichera huele a aceite, mátela usted.

LA MOÑA.—¡Ciego piojoso, no encismes a un hombre celoso!

EL BULULÚ.—Si pringa de aceite, dele usted mulé [11]. Levántele usted el refajo, sáquele usted el faldón para fuera, y olisquee a qué huele el pispajo [12], mi Teniente Don Friolera. ¿Mi Teniente, qué dice el faldón?

EL FANTOCHE.—¡Válgame Dios, que soy un cabrón!

---

[10] *Rodete:* moño en forma de rosca.

[11] *Mulé:* gitanismo: *dar mulé,* matar.

[12] *Pispajo:* anota Senabre: «sexo de mujer».

EL BULULÚ.—Dele usted, mi Teniente, baqueta. Zúrrela usted, mi Teniente, el pandero. Ábrala usted con la bayoneta, en la pelleja un agujero. ¡Mátela usted si huele a aceitero!

LA MOÑA.—Vertióseme anoche el candil al meterme en los cobertores: ¡De eso me huele el fogaril, no de andar en otros amores! ¡Ciego mentiroso, mira tú de no ser más cabrón, y no encismes el corazón de un enamorado celoso!

EL BULULÚ.—¡Ande usted, mi Teniente, con ella! ¡Cósala usted con un puñal! Tiene usted, por su buena estrella, vecina la raya de Portugal.

EL FANTOCHE.—¡Me comeré en albondiguillas el tasajo de esta bribona, y haré de su sangre morcillas!

EL BULULÚ.—Convide usted a la comilona.

LA MOÑA.—¡Derramas mi sangre inocente, cruel enamorado! ¡No dicta sentencia el hombre prudente, por murmuraciones de un malvado!

EL FANTOCHE.—¡Muere, ingrata! ¡Guiña el ojo y estira la pata!

LA MOÑA.—¡Muerta estoy! ¡El Teniente me mata!

EL FANTOCHE *reparte tajos y cuchilladas con la cimitarra de Otelo: La corva hoja reluce terrible sobre la cabeza del compadre.* LA MOÑA *cae soltando las horquillas y enseñando las calcetas. Remolino de gritos y brazos aspados.*

EL BULULÚ.—¡Mi Teniente, alerta, que con los fusiles están los civiles llamando a la puerta! ¡Del Burgo, Cabrejas, Medina y Valduero, las cuatro parejas, con el aceitero!

EL FANTOCHE.—¡San Cristo, qué apuro!

EL BULULÚ.—Al pie de la muerta, suene usted, mi Teniente, un duro por ver si despierta. ¿Mi Teniente, cómo responde?

EL FANTOCHE.—¿Cómo responde? Con una higa [13], y el duro esconde bajo la liga.

EL BULULÚ.—¿Mi Teniente, es alta la media?

EL FANTOCHE.—¡Si es alta la media! Media conejera [14].

EL BULULÚ.—¡Olé la Trigedia [15] de los Cuernos de Don Friolera!

Termina la representación. Aire de fandango en la zonfoña del Compadre. El acólito deja el socaire de la capa, y da vuelta al corro, haciendo saltar cuatro perronas en un platillo de peltre [16]. *En lo alto del mirador, las cabezas vascongadas sonríen ingenuamente.*

DON MANOLITO.—Parece teatro napolitano.

DON ESTRAFALARIO.—Pudiera acaso ser latino. Indudablemente la comprensión de este humor y esta moral, no es de tradición castellana. Es portuguesa y cántabra, y tal vez de la montaña de Cataluña. Las otras regiones, literariamente, no saben nada de estas burlas de cornudos, y este donoso buen sentido, tan contrario al honor teatral y africano de Castilla. Ese tabanque de muñecos sobre la espalda de un viejo prosero, para mí, es más sugestivo que todo el retórico teatro español. Y no digo esto por amor a las formas

---

[13] *Higa:* gesto de desprecio.

[14] *Conejera:* anota Senabre: «adj. "larga y estrecha" (aparentemente por semejanza con la madriguera del conejo, pero, en realidad, porque llega hasta la ingle, lo que presupone en *conejo* un obvio sentido sexual)».

[15] *Trigedia:* puede ser una deformación intencionada de *tragedia* por Valle-Inclán. Sin embargo, Senabre recuerda *trigedia* como vulgarismo ya en algunas ediciones del *Manolo* de R. de la Cruz y explotado luego por muchos saineteros.

[16] *Peltre:* aleación de cinc, plomo y estaño muy usada para objetos domésticos.

populares de la literatura... ¡Ahí están las abominables coplas de Joselito[17]!

DON MANOLITO.—A usted le gustan las del Espartero.

DON ESTRAFALARIO.—Todas son abominables. Don Manolito, cada cual tiene el poeta que se merece.

DON MANOLITO.—Las otras notabilidades nacionales, no pasan de la gacetilla.

DON ESTRAFALARIO.—Esas coplas de toreros, asesinos y ladrones, son periodismo ramplón.

DON MANOLITO.—Usted, con ser tan sabio, las juzga por lectura, y de ahí no pasa. ¡Pero cuando se cantan con acompañamiento de guitarra, adquieren una gran emoción! No me negará usted que el romance de ciego, hiperbólico, truculento y sanguinario, es una forma popular.

DON ESTRAFALARIO.—Una forma popular judaica, como el honor calderoniano. La crueldad y el dogmatismo del drama español, solamente se encuentra en la Biblia. La crueldad sespiriana es magnífica, porque es ciega, con la grandeza de las fuerzas naturales. Shakespeare es violento, pero no dogmático. La crueldad española, tiene toda la bárbara liturgia de los Autos de Fe. Es fría y antipática. Nada más lejos de la furia ciega de los elementos que Torquemada: Es una furia escolástica. Si nuestro teatro tuviese el temblor de las fiestas de toros, sería magnífico: Si hubiese sabido transportar esa violencia estética, sería un teatro heroico como la *Ilíada*. A falta de eso, tiene toda la antipatía de los códigos, desde la Constitución a la Gramática.

DON MANOLITO.—Porque usted es anarquista.

DON ESTRAFALARIO.—¡Tal vez!

---

[17] *Joselito:* el famoso torero José Gómez (1895-1920), que murió en la plaza de Talavera de la Reina.

DON MANOLITO.—¿Y de dónde nos vendrá la redención, Don Estrafalario?

DON ESTRAFALARIO.—Del Compadre Fidel. ¡Don Manolito, el retablo de este tuno vale más que su Orbaneja!

DON MANOLITO.—¿Por qué?

DON ESTRAFALARIO.—Está más lleno de posibilidades.

DON MANOLITO.—No admito esa respuesta. Usted no es filósofo, y no tiene derecho a responderme con pedanterías. Usted no es más que hereje, como Don Miguel de Unamuno.

DON ESTRAFALARIO.—¡A Dios gracias! Pero alguna vez hay que ser pedante. El Compadre Fidel es superior a Yago. Yago, cuando desata aquel conflicto de celos, quiere vengarse, mientras que ese otro tuno, espíritu mucho más cultivado, sólo trata de divertirse a costa de Don Friolera. Shakespeare rima con el latido de su corazón, el corazón de Otelo: Se desdobla en los celos del Moro: Creador y criatura son del mismo barro humano. En tanto ese Bululú, ni un solo momento deja de considerarse superior por naturaleza, a los muñecos de su tabanque. Tiene una dignidad demiúrgica.

DON MANOLITO.—Lo que usted echaba de menos es el Diablo de mi Orbaneja.

DON ESTRAFALARIO.—Cabalmente, alma de Dios.

DON MANOLITO.—¿Qué haría usted viendo ahorcarse a un pecador?

DON ESTRAFALARIO.—Preguntarle por qué no lo había hecho antes. El Diablo es un intelectual, un filósofo, en su significación etimológica de amor y saber. El Deseo de Conocimiento, se llama Diablo.

DON MANOLITO.—El Diablo de usted es demasiado universitario.

DON ESTRAFALARIO.—Fue estudiante en Maguncia, e inventó allí, el arte funesto de la Imprenta.

ESCENA PRIMERA

San Fernando de Cabo Estrivel: Una ciudad empingorotada sobre cantiles. En los cristales de los miradores, el sol enciende los mismos cabrilleos que en la turquesa del mar. A lo largo de los muelles, un mecerse de arboladuras, velámenes y chimeneas. En la punta, estremecida por bocanas [18] *de aire, la garita del Resguardo. Olor de caña quemada. Olor de tabaco. Olor de brea. Levante fresco. El himno inglés en las remotas cometas de un barco de guerra. A la puerta de la garita con el fusil terciado* [19]*, un carabinero, y en el marco azul del ventanillo, la gorra de cuartel, una oreja y la pipa del Teniente Don Pascual Astete* —DON FRIOLERA—. *Una sombra, raposa, cautelosa, ronda la garita: Por el ventanillo asesta una piedra y escapa agachada. La piedra trae atado un papel con un escrito.* DON FRIOLERA *lo recoge turulato, y espanta los ojos leyendo el papel.*

DON FRIOLERA.—Tu mujer piedra de escándalo. ¡Esto es un rayo a mis pies! ¡Loreta con sentencia de muerte! ¡Friolera! ¡Si fuese verdad tendría que degollarla! ¡Irremisible-

---

[18] *Bocanas:* bocanadas, corrientes.
[19] *Terciado:* atravesado, cruzado.

mente condenada! En el Cuerpo de Carabineros no hay cabrones. ¡Friolera! ¿Y quién será el carajuelo[20] que le ha trastornado los cascos a esa Putifar[21]?... Afortunadamente no pasará de una vil calumnia: Este pueblo es un pueblo de canallas. Pero hay que andarse con pupila[22]. A Loreta me la solivianta ese pendejo[23] de Pachequín. Ya me tenía la mosca en la oreja. Caer, no ha caído. ¡Friolera! Si supiese qué vainípedo[24] escribió este papel, se lo comía. Para algunos canallas no hay mujer honrada... Solicitaré el traslado por si tiene algún fundamento esta infame calumnia... Cualquier ligereza, una imprudencia, las mujeres no reflexionan. ¡Pueblo de canallas! Yo no me divorcio por una denuncia anónima. ¡La desprecio! Loreta seguirá siendo mi compañera, el ángel de mi hogar. Nos casamos enamorados, y eso nunca se olvida. Matrimonio de ilusión. Matrimonio de puro amor. ¡Friolera!

Se enternece contemplando un guardapelo colgante en la cadena del reloj, suspira y enjuga una lágrima. Pasa por su voz el trémolo de un sollozo, y se le arruga la voz, con las mismas arrugas que la cara.

DON FRIOLERA.—¿Y si esta infamia fuese verdad? La mujer es frágil. ¿Quién le iba con el soplo al Teniente Capriles?... ¡Friolera! ¡Y era público que su esposa le coro-

---

[20] *Carajuelo:* diminutivo de *carajo,* miserable, vil.

[21] *Putifar:* nombre del ministro del faraón cuya mujer pretendió a José para yacer con él. Aquí, con todo, se usa por lo que evoca fónicamente: «puta».

[22] *Andar con pupila:* andar con vista.

[23] *Pendejo:* americanismo: ruin, malvado.

[24] *Vainípedo:* anota Senabre: «derivación humorística sobre *vaina,* "tonto", acaso por cruce con *bípedo»*.

naba[25]! No era un cabrón consentido. No lo era... Se lo achacaban. Y cuando lo supo mató como un héroe a la mujer, al asistente y al gato. Amigos de toda la vida. Compañeros de campaña. Los dos con la Medalla de Joló. Estábamos llamados a una suerte pareja. El oficial pundonoroso, jamás perdona a la esposa adúltera. Es una barbaridad. Para muchos lo es. Yo no lo admito: A la mujer que sale mala, pena capital. El paisano, y el propio oficial retirado, en algunas ocasiones, muy contadas, pueden perdonar: Se dan circunstancias: La mujer que violan contra su voluntad, la que atropellan acostada durmiendo, la mareada con alguna bebida: Solamente en estos casos admito yo la caída de Loreta. Y en estos casos tampoco podría perdonarla. Sirvo en activo. Pudiera hacerlo retirado del servicio. ¡Friolera!

Vuelve a deletrear con las cejas torcidas sobre el papel: Lo escudriña al trasluz, se lo pasa por la nariz, olfateando: Al cabo lo pliega y esconde en el fondo de la petaca.

DON FRIOLERA.—¡Mi mujer piedra de escándalo! El torcedor[26] ya lo tengo. Si es verdad quisiera no haberlo sabido. Me reconozco un calzonazos. ¿Adónde voy yo con mis cincuenta y tres años averiados? ¡Una vida rota! En qué poco está la felicidad, en que la mujer te salga cabra. ¡Qué mal ángel, destruir con una denuncia anónima la paz conyugal! ¡Canallas! De buena gana quisiera atrapar una enfermedad y morirme en tres días. ¡Soy un mandria! ¡A mis años andar a tiros!... ¿Y si cerrase los ojos para ese contrabando? ¿Y si resolviese no saber nada? ¡Este mundo

---

[25] *Coronar:* poner los cuernos.
[26] *Torcedor:* algo que proporciona un disgusto o contratiempo.

es una solfa! ¿Qué culpa tiene el marido de que la mujer le salga rana[27]? ¡Y no basta una honrosa separación! ¡Friolera! ¡Si bastase!... La galería no se conforma con eso. El principio del honor ordena matar. ¡Pim! ¡Pam! ¡Pum!...[28]. El mundo nunca se cansa de ver títeres y agradece el espectáculo de balde. ¡Formulismos!... ¡Bastante tiene con su pena el ciudadano que ve deshecha su casa! ¡Ya lo creo! La mujer por un camino, el marido por otro, los hijos sin calor, desamparados. Y al sujeto en estas circunstancias, le piden que degüelle, y se satisfaga con sangre como si no tuviese otra cosa que rencor en el alma. ¡Friolera! Y todos somos unos botarates. Yo mataré como el primero. ¡Friolera! Soy un militar español y no tengo derecho a filosofar como en Francia. ¡En el Cuerpo de Carabineros no hay maridos cabrones! ¡Friolera!

Acalorado, se quita el gorro y mete la cabeza por el ventanillo, respirando en las ráfagas del mar. Los cuatro pelos de su calva bailan un baile fatuo. En el fondo del muelle, sobre un grupo de mujeres y rapaces bambolea el ataúd destinado a un capitán mercante, fallecido a bordo de su barco. PACHEQUÍN *el barbero, que fue llamado para raparle las barbas, cojea detrás, pisándose la punta de la capa.* DON FRIOLERA, *al verle, se recoge en la garita. Le tiembla el bigote como a los gatos cuando estornudan.*

---

27 *Salir rana:* defraudar, frustrarse la confianza que se había depositado en esa persona *(DRAE).*

28 *¡Pim! ¡Pam! ¡Pum!:* expresión que se reiterará varias veces y que alude al entretenimiento de barraca de ferias consistente en derribar muñecos de trapo a pelotazos.

DON FRIOLERA.—¡Era feliz sin saberlo, y ha venido ese pata coja a robarme la dicha!... Y acaso no... Esta sospecha debo desecharla. ¿Qué fundamento tiene? ¡Ninguno! ¡El canalla que escribió el anónimo es el verdadero canalla! Si esa calumnia fuese verdad, ateo como soy, falto de los consuelos religiosos, náufrago en la vida... En estas ocasiones, sin un amigo con quien manifestarse, y alguna creencia, el hombre lo pasa mal. ¡Amigo! ¡No hay amigos! ¡Tú eres un ejemplo, Juanito Pacheco!

Cambia el gorro por el ros y sale de la garita. EL CARABINERO *de la puerta se cuadra, y el teniente le mira enigmático.*

DON FRIOLERA.—¿Qué haría usted si le engañase su mujer, Cabo Alegría?

EL CARABINERO.—Mi Teniente, matarla como manda Dios.

DON FRIOLERA.—¡Y después!...

EL CARABINERO.—¡Después, pedir el traslado!

ESCENA SEGUNDA

Costanilla de Santiago el Verde, subiendo del puerto. Casas encaladas, patios floridos, morunos canceles. Juanito Pacheco, PACHEQUÍN *el barbero, cuarentón cojo y narigudo, con capa torera y quepis*[29] *azul, rasguea la guitarra sentado bajo el jaulote de la cotorra, chillón y cromático.* DOÑA LORETA, *la señora tenienta, en la reja de una casa*

---

[29] *Quepis:* prenda militar consistente en una gorra cónica con visera.

fronteriza, se prende un clavel en el rodete. PACHEQUÍN *canta con los ojos en blanco.*

PACHEQUÍN

A tus pies, gachona[30] mía,
Pongo todo mi caudal:
Una jaca terciopelo,
Un trabuco y un puñal...

LA COTORRA.—¡Olé! ¡Viva tu madre!

DOÑA LORETA.—¡Hasta la cotorra le jalea a usted, Pachequín!

PACHEQUÍN.—¡Tiene un gusto muy refinado!

DOÑA LORETA.—Le adula.

PACHEQUÍN.—No sea usted satírica, Doña Loreta. Concédame que algo se chanela[31].

DOÑA LORETA.—¿Qué toma usted para tener esa voz perlada[32]?

PACHEQUÍN.—Rejalgares[33] que me da una vecina muy flamenca.

DOÑA LORETA.—Serán rejalgares, pero a usted se le convierten en jarabe de pico[34].

PACHEQUÍN.—¡Usted no me ha oído suspirar! ¡Pues va a ser preciso que usted me oiga!

DOÑA LORETA.—Me he quedado sorda de un aire.

PACHEQUÍN.—Son rejalgares, Doña Loreta.

---

[30] *Gachona:* anota Senabre que su sentido propio es «mimosa», «insinuante».

[31] *Chanela:* gitanismo: entiende.

[32] *Perlada:* voz blanca, nítida.

[33] *Rejalgares:* se trata de *rosas de rejalgar,* planta utilizada como antiespasmódico.

[34] *Jarabe de pico:* palabra sin sustancia, algo que no se piensa cumplir.

DOÑA LORETA.—Pero no los recibirá usted de mano de vecina, pues toda la tarde se la pasó el amigo de bureo [35].

PACHEQUÍN.—Le debo una explicación, Doña Loreta.

DOÑA LORETA.—¡Qué miramiento! ¡A mí no me debe usted nada!

PACHEQUÍN.—Han reclamado mis servicios para rapar las barbas de un muerto.

DOÑA LORETA.—¡Mala sombra!

PACHEQUÍN.—Un servidor no cree en agüeros. Falleció a bordo el capitán de la *Joven Pepita.*

DOÑA LORETA.—¡Por eso hacía señal la campana de Santiago el Verde!

PACHEQUÍN.—A las siete el sepelio.

DOÑA LORETA.—¿Falleció de su muerte?

PACHEQUÍN.—Falleció de unas calenturas, y lo propio del marino es morir ahogado.

DOÑA LORETA.—Y lo propio de un barbero, morir de pelmazo.

PACHEQUÍN.—¡Doña Loreta, es usted más rica que una ciruela!

DOÑA LORETA.—Y usted un vivales [36].

PACHEQUÍN.—Yo un pipi [37] sin papeles, que está por usted ventolera.

DOÑA LORETA.—¡Que se busca usted un compromiso con mi esposo!

PACHEQUÍN.—Ya andaríamos con pupila, llegado el caso, Doña Loreta.

DOÑA LORETA.—No hay pecado sellado [38].

---

[35] *Bureo:* diversión, fiesta.

[36] *Vivales:* astuto.

[37] *Pipi:* tonto, ingenuo.

[38] *Sellado:* cerrado, oculto.

PACHEQUÍN.—¿Y de saberse, qué haría el Teniente?

DOÑA LORETA.—¡Matarnos!

PACHEQUÍN.—No llame usted a esa puerta tan negra. ¡Sería un por demás! [39].

DOÑA LORETA.—¡Ay, Pachequín, la esposa del militar, si cae, ya sabe lo que la espera!

PACHEQUÍN.—¿No le agradaría a usted morir como una celebridad, y que su retrato saliese en la Prensa?

DOÑA LORETA.—¡La vida es muy rica, Pachequín! A mí me va muy bien en ella.

DOÑA LORETA.—¿Es posible que no la camele [40] a usted salir retratada en *ABC?*

DOÑA LORETA.—¡Tío guasa [41]!

PACHEQUÍN.—¿Quiere decirse que le es a usted inverosímil?

DOÑA LORETA.—¡Completamente!

PACHEQUÍN.—No paso a creerlo.

DOÑA LORETA.—Como sus murgas esta servidora.

PACHEQUÍN.—No es caso parejo. ¿Qué prueba de amor me pide usted, Doña Loreta?

DOÑA LORETA.—Ninguna. Tenga usted juicio y no me sofoque.

PACHEQUÍN.—¿Va usted a quererme?

DOÑA LORETA.—Ha hecho usted muchas picardías en el mundo, y pudiera suceder que las pagase todas juntas.

PACHEQUÍN.—Si había de aplicarme usted el castigo, lo celebraría.

DOÑA LORETA.—Usted se olvida de mi esposo.

PACHEQUÍN.—Quiérame usted, que para ese toro tengo yo la muleta de Juan Belmonte.

---

[39] *Un por demás:* una exageración.

[40] *Camelar:* gitanismo: seducir.

[41] *Tío guasa:* bromista.

DOÑA LORETA.—No puedo quererle, Pachequín.

PACHEQUÍN.—¿Y tampoco puede usted darme el clavel que luce en el moño?

DOÑA LORETA.—¿Me va mal?

PACHEQUÍN.—Le irá a usted mejor este reventón de mi solapa. ¿Cambiamos?

DOÑA LORETA.—Como una fineza, Pachequín. Sin otra significación.

PACHEQUÍN.—Un día la rapto, Doña Loreta.

DOÑA LORETA.—Peso mucho, Pachequín.

PACHEQUÍN.—¡Levanto yo más quintales que San Cristóbal[42]!

DOÑA LORETA.—Con el pico.

DOÑA LORETA *ríe, haciendo escalas buchonas*[43], *y se desprende el clavel del rodete. Las mangas del peinador escurren por los brazos desnudos de la Tenienta. En el silencio expresivo del cambio de miradas, una beata con manto de merinillo, asoma por el atrio de Santiago:* DOÑA TADEA CALDERÓN, *que adusta y espantadiza, viendo el trueque de claveles, se santigua con la cruz del rosario: La tarasca, retirándose de la reja, toca hierro.*

DOÑA LORETA.—¡Lagarto! ¡Lagarto![44]. ¡Esa bruja me da espeluznos!

---

42 *San Cristóbal:* anota Senabre: «San Cristóbal, decapitado en tiempos del emperador Decio, aparece en la iconografía destacado por su corpulencia y su fortaleza, por lo general apoyado en un árbol que le sirve como báculo y con Cristo cargado a las espaldas».

43 *Escalas buchonas:* zureos, por referencia a las *palomas buchonas.*

44 *¡Lagarto! ¡Lagarto!:* interjección que se utiliza para conjurar un peligro imaginario.

DOÑA TADEA *pasa atisbando. El garabato de su silueta se recorta sobre el destello cegador y moruno de las casas encaladas. Se desvanece bajo un porche, y a poco su cabeza de lechuza asoma en el ventano de una guardilla.*

ESCENA TERCERA

El cementerio de Santiago el Verde: Una tapia blanca con cipreses, y cancel negro con una cruz. Sobre la tierra removida, el capellán reza atropellado un responso, y el cortejo de mujerucas y marineros se dispersa. Al socaire de la tapia, como una sombra, va el teniente DON FRIOLERA, *que se cruza con algunos acompañantes del entierro.* JUANITO PACHECO, *cojeando, pingona*[45] *la capa, se le empareja.*

PACHEQUÍN.—¡Salud, mi Teniente!

DON FRIOLERA.—¡Apártate, Pachequín!

PACHEQUÍN.—¡Tiene usted la color mudada[46]! ¡A usted le ocurre algún contratiempo!

DON FRIOLERA.—No me interrogues.

PACHEQUÍN.—Manifiéstese usted con un amigo leal, mi Teniente.

DON FRIOLERA.—Pachequín, ya llegará ocasión de que hablemos. Ahora sigue tu camino.

PACHEQUÍN.—Conforme, no quiero serle molesto, mi Teniente.

DON FRIOLERA.—¡Oye! ¿Por qué sales del cementerio?

PACHEQUÍN.—He venido dando convoy[47] al cadáver de un parroquiano.

---

45 *Pingota:* colgante.

46 *La color mudada:* sin color, pálida, expresión arcaizante.

47 *Dar convoy:* acompañar.

DON FRIOLERA.—¡Poca cosa!...
PACHEQUÍN.—¡Y tan poca!
DON FRIOLERA.—No hablemos más. ¡Adiós!
PACHEQUÍN.—Todavía una palabra.
DON FRIOLERA.—¡Suéltala!
PACHEQUÍN.—¿Qué le ocurre a usted, mi Teniente? ¡Abra usted su pecho a un amigo!
DON FRIOLERA.—Verías el Infierno.
PACHEQUÍN.—¡Le hallo a usted como estrafalario[48]!
DON FRIOLERA.—Estás en tu derecho.

DON FRIOLERA, *haciendo gestos, se aleja pegado al blanco tapial de cipreses, y el barbero, contoneándose con el ritmo desigual de la cojera, aborda un grupo de tres sujetos marchosos que conversan en el campillo, frente a la negra cancela. Aquél de la bufanda, calzones de odalisca y pedales*[49] *amarillos, muy pinturero, es* EL NIÑO DEL MELONAR: *Aquel pomposo pato azul con cresta roja,* CURRO CADENAS: *Y el que dogmatiza con el fagot bajo el carrik y el quepis sobre la oreja,* NELO EL PENEQUE.

PACHEQUÍN.—¡Salud, caballeros!
EL PENEQUE.—¡Salud, y pesetas!
PACHEQUÍN.—De eso hay poco.
EL PENEQUE.—Pues son las mejores razones en este mundo.
CURRO.—Esas ladronas nunca dejan de andar de por medio: Ellas y las mujeres son nuestra condenación.
EL NIÑO.—¿Tú qué dices, Pachequín?
PACHEQUÍN.—Aprendo la doctrina.

---

[48] *Estrafalario:* extravagante.
[49] *Pedales:* tal vez *botines.*

EL NIÑO.—Cultivando a la Tenienta.

CURRO.—¡No es mala mujer!

EL PENEQUE.—Cartagenera y esposa de militar, pues dicho se está que buen pico, buen garbo y buena pierna.

PACHEQUÍN.—En ese respecto, un servidor se declara incompetente.

EL NIÑO.—¿Todavía no le has regalado unas ligas a la Tenienta?

PACHEQUÍN.—Caballeros, con tanta risa van ustedes a sentir disnea.

EL PENEQUE.—No te ofendas, ninche[50].

PACHEQUÍN.—Doña Loreta es una esposa fiel a sus deberes. La amistad que me une con su esposo, es la filarmonía. Don Pascual es un fenómeno de los buenos haciendo sonar la guitarra.

EL PENEQUE.—¡La mejor guitarra está hoy en el Presidio de Cartagena!

EL NIÑO.—¿A quién señalas?

EL PENEQUE.—Al Pollo de Triana.

PACHEQUÍN.—Don Pascual tiene un estilo parejo.

EL PENEQUE.—No le conocía yo esa gracia.

PACHEQUÍN.—¡Un coloso!

CURRO.—No miente el amigo. A Don Friolera vengo yo tratándole hace muchos años. En la Plaza de Algeciras le he conocido sirviendo en clase de sargento, y tuve ocasión de oírle algunos conciertos. ¡Es una guitarra de las buenas! Entonces Don Friolera estaba tenido por sujeto mirado y servicial, de lo más razonable y decente del Cuerpo de Carabineros.

EL NIÑO.—¡Menudo cambiazo el que ha dado! Hoy pone la cucaña en el Pico del Teide.

---

[50] *Ninche:* tonto, incauto, o simplemente un vocativo del tipo «hombre».

EL PENEQUE.—Pues la mucha familia no le obliga a ese rigor.

EL NIÑO.—Es la obra de los galones. Se ha desvanecido. En una pacotilla [51] de cien duros, a lo presente, te pide un quiñón [52] de veinticinco.

PACHEQUÍN.—Hoy los duros son pesetas. No están las cosas como hace algunos años.

EL PENEQUE.—¡Y todo este desavío nos lo trajo el Káiser [53]!

CURRO.—¡Y aún ha de tardar el arreglo! La España de cabo a cabo hemos de verla como está Barcelona. Y el que honradamente juntó cuatro cuartos, tendrá que suicidarse.

Se alejan haciendo estaciones [54]*. Sobre las cuatro figuras en hilera ondula una ráfaga de viento. Anochece. El Teniente, con gestos de maníaco, viene bordeando la tapia, pasa bajo la sombra de los cipreses, y continúa la ronda del cementerio. Bultos negros de mujerucas con rebozos salpican el campillo. El Teniente se cruza con una vieja que le clava los ojos de pajarraco: Pequeña, cetrina, ratonil, va cubierta con un manto de merinillo.* DON FRIOLERA *siente el peso de aquella mirada, y una súbita iluminación. Se vuelve y atrapa a la beata por el moño.*

DON FRIOLERA.—¡Doña Tadea, merece usted morir quemada!

---

[51] *Pacotilla:* porción de géneros que los marineros u oficiales de un barco pueden embarcar por su cuenta, libre de flete *(DRAE)*.

[52] *Quiñón:* parte que uno tiene con otros en una cosa productiva *(DRAE)*, pero aquí —como señala Senabre— se refiere a la cantidad que percibe el funcionario del Cuerpo de Carabineros a cambio de su silencio.

[53] *Káiser:* Guillermo II, emperador de Alemania, que debió abandonar el trono tras la Primera Guerra Mundial.

[54] *Hacer estaciones:* detenerse de trecho en trecho.

DOÑA TADEA.—¡Está usted loco!

DON FRIOLERA.—¡Quemada por bruja!

DOÑA TADEA.—¡No me falte usted!

DON FRIOLERA.—¡Usted ha escrito el anónimo!

DOÑA TADEA.—¡Respete usted que soy una anciana!

DON FRIOLERA.—¡Usted lo ha escrito!

DOÑA TADEA.—¡Mentira!

DON FRIOLERA.—¿Sabe usted a lo que me refiero?

DOÑA TADEA.—No sé nada, ni me importa.

DON FRIOLERA.—Va usted a escupir esa lengua de serpiente. ¡Usted me ha robado el sosiego!

DOÑA TADEA.—Piense usted si otros no le robaron algo más.

DON FRIOLERA.—¡Perra!

DOÑA TADEA.—¡Suélteme usted! ¡Ay! ¡Ay!

DON FRIOLERA.—¡Bruja! ¡Me ha mordido la mano!

DOÑA TADEA.—¡Asesino! Devuélvame el postizo del moño.

DON FRIOLERA.—¡Arpía! ¿Por qué ha escrito esa infamia?

DOÑA TADEA.—¡Se atreve usted con una pobre vieja, y con quien debe atreverse, mucha ceremonia!

DON FRIOLERA.—¡Mujer infernal!

DOÑA TADEA.—¡Grosero!

DON FRIOLERA.—¡Usted ha escrito el papel!

DOÑA TADEA.—¡Chiflado!

DON FRIOLERA.—¡Pero usted sabe que soy un cabrón!

DOÑA TADEA.—Lo sabe el pueblo entero. ¡Suélteme usted! Debe usted sangrarse.

DON FRIOLERA.—¡Aborto infernal!

DOÑA TADEA.—¡Me da usted lástima!

DON FRIOLERA.—¿Con quién me la pega mi mujer?

DOÑA TADEA.—Eso le incumbe a usted averiguarlo. Vigile usted.

DON FRIOLERA.—¿Y para qué, si no puedo volver a ser feliz?

DOÑA TADEA.—Tiene usted una hija, edúquela usted, sin malos ejemplos. Viva usted para ella.

DON FRIOLERA.—¿El ladrón de mi honra, es Pachequín?

DOÑA TADEA.—¿A qué pregunta, Señor Teniente? Usted puede sorprender el adulterio, si disimula y anda alertado.

DON FRIOLERA.—¿Y para qué?

DOÑA TADEA.—Para dar a los culpables su merecido.

DON FRIOLERA.—¡La muerte!

DOÑA TADEA.—¡Virgen Santa!

La vieja gazmoña huye enseñando las canillas. DON FRIOLERA *se sienta al pie del negro cancel, y dando un suspiro, a media voz, inicia su monólogo de cornudo.*

ESCENA CUARTA

La Costanilla de Santiago el Verde, cuando las estrellas hacen guiños sobre los tejados. Un borracho sale bailando a la puerta del billar de DOÑA CALIXTA. *La última beata vuelve de la novena: Arrebujada en su manto de merinillo, pasa fisgona metiendo el hocico por rejas y puertas: En el claro de luna, el garabato de su sombra tiene reminiscencias de vulpeja: Escurridiza, desaparece bajo los porches y reaparece sobre la banda de luz que vierte la reja de una sala baja y dominguera, alumbrada por quinqué de porcelana azul. Se detiene a espiar.* DON FRIOLERA, *sentado ante el velador con tapete de malla, sostiene abierto un álbum de retratos: Se percibe el pueril y cristalino punteado de su caja de música.* DON FRIOLERA, *en el reflejo amarillo del quinqué, es un fantoche trágico. La beata se acerca, y pega a la reja su perfil de lechuza. El Teniente levanta la cabeza, y los dos se miran un instante.*

DOÑA TADEA.—¡Esta tarde me ha dado usted un susto! Podía haberle denunciado.

DON FRIOLERA.—¡Antes había recibido una puñalada en el corazón!

DOÑA TADEA.—¡Es usted maniático, Señor Teniente!

DON FRIOLERA.—Doña Tadea, usted está siempre como una lechuza en la ventana de su guardilla, usted sabe quién entra y sale en cada casa... ¡Doña Tadea maldita, usted ha escrito el anónimo!

DOÑA TADEA.—¡Jesús María!

DON FRIOLERA.—¡Aún conserva la tinta en las uñas!

DOÑA TADEA.—¡Falsario!

DON FRIOLERA.—¿Por qué ha encendido usted esta hoguera en mi alma?

DOÑA TADEA.—¡Calumniador!

DON FRIOLERA.—¡Sólo usted conocía mi deshonra!

DOÑA TADEA.—¡Papanatas!

DON FRIOLERA.—¡Doña Tadea, merecía usted ser quemada!

DOÑA TADEA.—¡Y usted llevar la corona que lleva!

DON FRIOLERA.—Yo soy militar y haré un disparate.

DOÑA TADEA.—¡Ave María! ¡Por culpa de dos réprobos una tragedia en nuestra calle!

DON FRIOLERA.—¡Considere usted el caso!

DOÑA TADEA.—¡Porque lo considero, Señor Teniente!

DON FRIOLERA.—¡El honor se lava con sangre!

DOÑA TADEA.—¡Eso decían antaño!...

DON FRIOLERA.—¡Cuando quemaban a las brujas!

DOÑA TADEA.—¡Señor Teniente, no tenga usted para mí tan negra entraña!... Pudiera ser que no hubiese fornicio. Usted, guarde a su esposa.

DON FRIOLERA.—¿Quién ha escrito el anónimo, Doña Tadea?

DOÑA TADEA.—¡Yo sólo sé mis pecados!

La vieja se arrebuja en el manto, desaparece en la sombra de la callejuela, reaparece en el ventano de su guardilla, y bajo la luna, espía con ojos de lechuza: Santiguándose oye el cisma[55] *de los malcasados.* DON FRIOLERA *y* DOÑA LORETA, *riñen a gritos, baten las puertas, entran y salen con los brazos abiertos. Sobre el velador con tapete de malla, el quinqué de porcelana azul alumbra la sala dominguera. El movimiento de las figuras, aquel entrar y salir con los brazos abiertos, tienen la sugestión de una tragedia de fantoches.*

DON FRIOLERA.—¡Es inaudito!

DOÑA LORETA.—¡Palabrotas, no!

DON FRIOLERA.—¡Dejarte cortejar!

DOÑA LORETA.—¡Una fineza no es un cortejo!

DON FRIOLERA.—¡Has abierto un abismo entre nosotros! ¡Un abismo de los llamados insondables!

DOÑA LORETA.—¡Farolón!

DON FRIOLERA.—¡Estás buscando que te mate, Loreta! ¡Que lave mi honor con tu sangre!

DOÑA LORETA.—¡Hazlo! ¡Solamente por verte subir al patíbulo lo estoy deseando!

DON FRIOLERA.—¡Disipada!

DOÑA LORETA.—¡Verdugo!

---

[55] *Cisma:* disputa, pelea.

DON FRIOLERA *blande un pistolón.* DOÑA LORETA, *con los brazos en aspa y el moño colgando, sale de la casa dando gritos.* DON FRIOLERA *la persigue, y en el umbral de la puerta, al pisar la calle, la sujeta por los pelos.*

DON FRIOLERA.—¡Vas a morir!
DOÑA LORETA.—¡Asesino!
DON FRIOLERA.—¡Encomiéndate a Dios!
DOÑA LORETA.—¡Criminal! ¡Que con las armas de fuego no hay bromas!

Ábrese repentinamente la ventana del barbero, y éste asoma en jubón de franela amarilla, el pescuezo todo nuez.

PACHEQUÍN.—¡Va el pueblo a consentir este mal trato! Si otro no se interpone, yo me interpongo, porque la mata.

Empuñando un estoque de bastón, salta a la calle, y con su zanco desigual, se dirige a la casa de la tragedia.

DON FRIOLERA.—¡Traidor! Te alojaré una bala en la cabeza.
PACHEQUÍN.—¡Verdugo de su señora, que no se la merece!
DON FRIOLERA.—¡Ladrón de mi honor!
PACHEQUÍN.—¡A las mujeres se las respeta!
DON FRIOLERA.—¡No admito lecciones!
DOÑA LORETA.—¡Pascualín!
DON FRIOLERA.—¡Pascual! ¡Para la esposa adúltera, Pascual!
DOÑA LORETA.—¡No te ofusques!
DON FRIOLERA.—¡Os mataré a los dos!

DOÑA LORETA.—¡No des una campanada[56], Pascual!

DON FRIOLERA.—¡Pido cuentas de mi honor!

DOÑA LORETA.—¡Pascualín!

DON FRIOLERA.—¡Exijo que me llames Pascual!

PACHEQUÍN.—¡No lleva usted razón, mi Teniente!

DON FRIOLERA.—¡Falso amigo, esa mujer debiera ser sagrada para ti!

PACHEQUÍN.—¡Así la he considerado siempre!

DON FRIOLERA.—¿Loreta, quién te dio esa flor que llevas en el rodete!

DOÑA LORETA.—Una fineza.

PACHEQUÍN.—No vea usted en ello mala intención, mi Teniente.

DOÑA LORETA.—¡Pascualín!

DON FRIOLERA.—¡Pascual! ¡Para ti ya no soy Pascualín!

DOÑA LORETA.—¡Rechazas un mimo, ya no me quieres!

DON FRIOLERA.—¡No puedo quererte!

PACHEQUÍN.—Perdone que se lo diga, pero no merece usted la perla que tiene, mi Teniente.

DON FRIOLERA.—Con vuestra sangre, lavaré mi honra. Vais a morir los dos.

PACHEQUÍN.—Mi Teniente, oiga razones.

DOÑA LORETA.—¡Ciego! ¿No ves resplandecer nuestra inocencia?

DON FRIOLERA.—¡Encomiéndense ustedes a Dios!

PACHEQUÍN.—¿Doña Loreta, qué hacemos?

DOÑA LORETA.—¡Rezar, Pachequín!

PACHEQUÍN.—¿Vamos a dejar que nos mate como perros? ¡Doña Loreta, no puede ser!

---

[56] *Campanada:* escándalo.

DOÑA LORETA.—¡Pachequín, tenga usted esta flor, culpa de los celos de mi esposo!

DOÑA LORETA, *con ademán trágico, se desprende el clavel que baila al extremo del moño colgante.* PACHEQUÍN *alarga la mano.* DON FRIOLERA *se interpone, arrebata la flor y la pisotea. La tarasca cae de rodillas, abre los brazos y ofrece el pecho a las furias del pistolón.*

DOÑA LORETA.—¡Mátame! ¡Moriré inocente!
DON FRIOLERA.—¡Morirás cuando yo lo ordene!

Una NIÑA, *como moña de feria, descalza, en camisa, con el pelo suelto, aparece dando gritos en la reja.*

LA NIÑA.—¡Papito! ¡Papín!
DOÑA LORETA.—¡Hija mía, acabas de perder a tu madre!

DON FRIOLERA *arroja el pistolón, se oprime las sienes, y arrebatado entra en la casa, cerrando la puerta. Se le ve aparecer en la reja, tomar en brazos a la niña y besarla llorando, ridículo y viejo.*

DON FRIOLERA.—¡Manolita, pon un bálsamo en el corazón de tu papá!

DOÑA LORETA, *caída sobre las rodillas, golpea la puerta, grita sofocada, se araña y se mesa.*

DOÑA LORETA.—¡Pascual, mira lo que haces! ¡Limpia estoy de toda culpa! ¡En adelante, quizá no pueda decirlo, pues me abandonas, y la mujer abandonada, santa ha de ser para no escuchar al diablo! ¡Ábreme la puerta, mal hombre!... ¡Dame tu ayuda, Reina y Madre!

La tarasca bate con la frente en la puerta y se desmaya. PACHEQUÍN *mira de reojo al fondo de la sala silenciosa, y acude a tenerla. La tarasca suspira transportada.*

DOÑA LORETA.—¡Peso mucho!

PACHEQUÍN.—¡No importa! Mientras no pasa este nublado, acepte usted el abrigo de mis tejas.

Se abren algunas ventanas, y asoman en retablo figuras en camisa, con un gesto escandalizado. PACHEQUÍN *se vuelve y hace un corte de mangas.*

PACHEQUÍN.—¡El mundo me la da, pues yo la tomo, como dice el eminente Echegaray!

DOÑA TADEA.—¡Piedra de escándalo!

ESCENA QUINTA

La alcoba del barbero: Pegada a la pared, la cama angosta y hopada[57]*, con una colcha vistosa de pájaros y ramajes, un paraíso portugués*[58]*. Tras de la puerta, la capa y la gorra colgadas con la guitarra, fingen un bulto viviente. Por el ventano abierto penetra con el claro de luna, el ventalle silencioso y nocturno de un huerto de luceros. Y la brisa y la luna parecen conducir un diálogo entre el vestiglo de la puerta, y el pelele, que abre la cruz de los brazos sobre la copa negra de una hi-*

---

[57] *Hopada:* anota Senabre: «pese a la inexistencia del verbo *hopar,* el significado es deducible si se tiene en cuenta el sustantivo *hopa:* "especie de vestidura, al modo de túnica o sotana cerrada" *(DRAE)*».

[58] *Paraíso portugués:* la colcha, por su vistosidad.

guera, en la redoma azul del huerto. Entra el galán con la raptada, encendida, pomposa y con suspiros de soponcio. La luna infla los carrillos en la ventana.

DOÑA LORETA.—¡Demonio tentador, adónde me conduces?

PACHEQUÍN.—¡A tu casa, prenda!

DOÑA LORETA.—¡Buscas la perdición de los dos! ¡Tú eres un falso! ¡Déjame volver honrada al lado de mi esposo! ¡Demonio tentador, no te interpongas!

PACHEQUÍN.—¿Ya no soy nada para ti, mujer fatal? ¿Ya no dicto ninguna palabra a tu corazón? ¡Juntos hemos arrostrado la sentencia de ese hombre bárbaro que no te merece!

DOÑA LORETA.—Yo lo elegí libremente.

PACHEQUÍN.—¡Estabas ofuscada!

DOÑA LORETA.—¿Y ahora no es ofuscación dejar mi casa, dejar un ser nacido de mis entrañas? ¡Considera que soy esposa y madre!

PACHEQUÍN.—¡Todo lo considero!... ¡Y también que tu vida peligra al lado de ese hombre celoso!

DOÑA LORETA.—¡No me ciegues y ábreme la puerta!

PACHEQUÍN.—¡Olvidas que una misma bala pudo matarnos!

DOÑA LORETA.—¡No me ciegues! ¡Ten un buen proceder, y ábreme la puerta!

PACHEQUÍN.—¿Olvidas que nuestra sangre estuvo a pique de correr emparejada?

DOÑA LORETA.—¡No me ciegues!

PACHEQUÍN.—¿Olvidas que ese hombre bárbaro, a los dos nos tuvo encañonados con su pistola? ¿Qué mayor lazo para enlazar corazones?

DOÑA LORETA.—¡No pretendo romperlo! ¡Pero déjame volver al lado de mi hija, que estoy en el mundo para mirar por ella!

PACHEQUÍN.—¿Y para nada más?

DOÑA LORETA.—¡Y para quererte, demonio tentador!

PACHEQUÍN.—¿Por qué entonces huyes de mi lado?

DOÑA LORETA.—¡Porque me das miedo!

PACHEQUÍN.—¡No paso a creerlo! ¡Tú buscas verme desesperado!

DOÑA LORETA.—¡Calla, traidor!

PACHEQUÍN.—Si me amases, estarías recogida en mis brazos, como una paloma.

DOÑA LORETA.—¿Por qué así me hablas, cuando sabes que soy tuya?

PACHEQUÍN.—¡Aún no lo has sido!

DOÑA LORETA.—Lo seré y te cansarás de tenerme, pero ahora no me pidas cosa ninguna.

PACHEQUÍN.—Me pondré de rodillas.

DOÑA LORETA.—¡Pachequín, respétame! ¡Yo soy una romántica!

PACHEQUÍN.—En ese achaque, no me superas. Cuando te contemplo, amor mío, me entra como éxtasis.

DOÑA LORETA.—¡Qué noche de luceros!

PACHEQUÍN.—¡La propia para un idilio!

DOÑA LORETA.—¡Dame una prueba de amor puro!

PACHEQUÍN.—¡La que me pidas!

DOÑA LORETA.—¡Permite que me vaya! ¡Ten un noble proceder, y ábreme la puerta!

PACHEQUÍN.—¡Franca la tienes!

DOÑA LORETA.—¡Adiós, Juanito!

PACHEQUÍN.—¡Adiós, Loreta!

DOÑA LORETA.—¿No quiere usted mirarme?

PACHEQUÍN.—¡No puedo! ¡Temo perder el juicio y olvidarme de que soy un caballero! ¡Ahí son nada tus miradas, Loreta!

DOÑA LORETA.—¡Es de rosas y espinas nuestra cadena!

PACHEQUÍN.—¡Tú la rompes!

DOÑA LORETA.—¡No me ciegues!

PACHEQUÍN.—¿Adónde vas? Cortemos, Loreta, ese nudo gordiano.

DOÑA LORETA.—¡Soy esposa y madre!

PACHEQUÍN.—Temo que te asesine ese hombre.

DOÑA LORETA.—Siempre la inocencia resplandece.

PACHEQUÍN.—Pudiera no querer darte acogida: En tal caso, prométeme ser mía.

DOÑA LORETA.—¡Tuya, hasta la muerte!

PACHEQUÍN.—Te acompañaré para prevenir un arrebato de ese hombre demente.

DOÑA LORETA.—¡No expongas la vida por mí!...

PACHEQUÍN.—Es deber que tengo.

PACHEQUÍN, *muy jaque, se pone la gorra en la oreja y empuña el estoque. La tarasca sale delante con el pañuelo en los ojos. Sobre la copa negra de la higuera, se espatarra el pelele en un círculo de luceros.*

ESCENA SEXTA

En la sala dominguera, sobre el velador con tapete de ganchillo, el quinqué de porcelana azul ilumina el álbum de retratos. Pasa por la pared, gesticulante, la sombra de DON FRIOLERA. *Un ratón, a la boca de su agujero, arruga el hocico y curiosea la vitola*[59] *de aquel adefesio con gorrilla de*

[59] *Vitola:* aspecto.

cuartel, babuchas moras, bragas azules de un uniforme viejo, y rayado chaleco de Bayona. El quinqué de porcelana translúcida tiene un temblor enclenque.

DON FRIOLERA.—¡Pim! ¡Pam! ¡Pum!... ¡No me tiembla a mí la mano! Hecha justicia me presento a mi Coronel: «Mi Coronel, ¿cómo se lava la honra?». Ya sé su respuesta. ¡Pim! ¡Pam! ¡Pum! ¡Listos! En el honor no puede haber nubes. Me presento voluntario a cumplir condena. ¡Mi Coronel, soy otro Teniente Capriles! Eran culpables, no soy un asesino. Si me corresponde pena de ser fusilado, pido gracia para mandar el fuego: ¡Muchachos, firmes y a la cabeza! ¡Adiós, mis queridos compañeros! Tenéis esposas honradas, y debéis estimarlas: ¡No consintáis nunca el adulterio en el Cuerpo de Carabineros! ¡Friolera! ¡Eran culpables! ¡Pagaron con su sangre! ¡No soy un asesino!

Rechina la puerta y en el umbral aparece DOÑA LORETA. *Tras ella, en la sombra del pasillo, se apunta la figura del barbero con el quepis sobre una ceja, y la capa acandilada*[60] *por el estoque.* DOÑA LORETA *cae de rodillas juntando las manos.*

DOÑA LORETA.—¡Pascual!

DON FRIOLERA.—¿Conoces tu sentencia?

DOÑA LORETA.—Pascualín, si dudas de mi inocencia, si me repudias de esposa, que sea de una manera decente, y sin escándalo.

DON FRIOLERA.—En España, la mujer que falta, tiene pena de la vida.

---

[60] *Acandilada:* en forma picuda como un candil.

DOÑA LORETA.—Pascual, nunca tu esposa dejó de guardarte la debida fidelidad.

DON FRIOLERA.—¡Pruebas! ¡Pruebas!

DOÑA LORETA.—¡También yo las pido, Pascual!

DON FRIOLERA.—¡Loreta, es preciso que resplandezca tu inocencia!

DOÑA LORETA.—Como el propio sol resplandece. ¿Quién me acusa? ¡Un hombre bárbaro! ¡Un celoso demente! ¡Un turco sanguinario! ¡Mátame, pero no me calumnies!

DON FRIOLERA.—¿De dónde vienes? ¿Y ese hombre por qué te acompaña?

PACHEQUÍN.—Para testificar que tiene usted una perla por esposa. ¡Una heroína!

DON FRIOLERA.—¡Pruebas! ¡Pruebas!

PACHEQUÍN.—¿No le satisface a usted el hecho de que un servidor se constituya [61] en su domicilio, para hacerle entrega de su señora?

DOÑA LORETA.—¿Qué respondes?

PACHEQUÍN.—Déjele usted que lo medite, Doña Loreta.

DOÑA LORETA.—Ten un impulso generoso, Pascualín.

PACHEQUÍN.—Comprenda usted, mi Teniente, la razón de las cosas.

DON FRIOLERA.—Pachequín, sal de esta casa. No puedo soportar tu presencia. Te concedo un plazo de cinco minutos.

PACHEQUÍN.—¡Mi Teniente, es usted un dramático sempiterno!

DON FRIOLERA.—Pachequín, dudo si eres un cínico, o el primer caballero de España.

PACHEQUÍN.—Soy un romántico, mi Teniente.

---

[61] *Se constituya:* se presente.

DON FRIOLERA.—Yo también, y te propongo un duelo a dos pasos en el cementerio.

DOÑA LORETA.—¿Vuelves a tus dudas?

DON FRIOLERA.—Llámales garfios infernales.

PACHEQUÍN.—Yo me retiro.

DON FRIOLERA.—¡El demonio te lleve!

DOÑA LORETA.—¡Qué proceder el de ese amigo, Pascual!

DON FRIOLERA.—¡No me subleves!

DOÑA LORETA.—¡Rencoroso!

DON FRIOLERA.—¡Es inaudito!

DOÑA LORETA.—¡Palabrotas, no, Pascual! ¡Eres un soldadote y no me respetas!

DON FRIOLERA.—Me avistaré con ese hombre y le propondré un arreglo a tiros. Es la solución más honrosa.

DOÑA LORETA.—¡Y si te mata!

DON FRIOLERA.—Te quedas viuda y libre.

DOÑA LORETA.—Pascual, esas palabras son puñales que me traspasan. Pascual, yo jamás consentiré que expongas tu vida por una demencia.

DON FRIOLERA.—No sé cómo podrás impedirlo.

DOÑA LORETA.—¡Me tomaré una pastilla de sublimado!

DON FRIOLERA.—El sublimado de las boticas, no mata.

DOÑA LORETA.—¡Una caja de cerillas!

DON FRIOLERA.—Serán inútiles todos tus histerismos.

DOÑA LORETA.—¿Sigues de mala data para mí, Pascual? ¡Necesitas reposo!

DON FRIOLERA.—¡Déjame!

DOÑA LORETA.—¡Pascual, tendremos que divorciarnos si persistes en tus dudas! Estás haciendo de mí *La Esposa Mártir*[62].

---

[62] *La Esposa Mártir:* explica Senabre que es el título de una popular novela del folletinista Enrique Pérez Escrich, reeditada al menos ocho veces durante el siglo XIX.

DON FRIOLERA.—¡Quieres la libertad para volver al lado de ese hombre! Nos divorciaremos, pero entrarás en un convento de arrepentidas.

DOÑA LORETA.—¡Tirano!

DON FRIOLERA.—¡Has destruido mi vida!

DOÑA LORETA.—Pascual, ¿por qué me haces desgraciada? Recógete, Pascual. Procura conciliar el sueño.

DON FRIOLERA.—El sueño huyó de mis párpados.

DOÑA LORETA.—¡Pascual, ten juicio!

DON FRIOLERA.—¡Mi vida está acabada!

DOÑA LORETA.—Pascual, tienes una hija, me tienes a mí...

DON FRIOLERA.—¡Loreta, me has hecho dudar de todo!

DOÑA LORETA.—Pascual, no seas injusto.

DON FRIOLERA.—¡Quisiera serlo!

DOÑA LORETA, *desgarrado el gesto, temblona y rebotada el anca, flojo el corsé, sueltas las jaretas de las enaguas, sale corretona, y reaparece con una botella de anisete escarchado.*

DOÑA LORETA.—¡Vaya, esto se acabó! Pascual, vamos a beber una copa juntos: Es el regalo de Curro Cadenas.

DON FRIOLERA.—Yo no bebo.

DOÑA LORETA.—Bebes, y vas a emborracharte conmigo.

DON FRIOLERA.—¡Contigo, jamás! ¡Te aborrezco!

DOÑA LORETA.—Pues te emborrachas solo.

DON FRIOLERA.—¿Para olvidar?

DOÑA LORETA.—Naturaca [63]. ¡Bebe!

DON FRIOLERA.—¡No bebo!

---

63 *Naturaca:* naturalmente.

DOÑA LORETA.—¡Te lo vierto por la cabeza!
DON FRIOLERA.—¡Espera!

El Teniente recibe la copa con mano temblona, y al apurarla, derrama un hilo de la mosca[64] *a la nuez.*

DOÑA LORETA.—¡Otra!
DON FRIOLERA.—¿Intentas embriagarme?
DOÑA LORETA.—Te hará bien.
DON FRIOLERA.—Rechazo ese expediente.
DOÑA LORETA.—¡Otra, digo!
DON FRIOLERA.—¡Si con esto olvidase!
DOÑA LORETA.—A lo menos te dormirás y descansaremos.
DON FRIOLERA.—No me dormiré. ¡No puedo!
DOÑA LORETA.—¡Bebe!
DON FRIOLERA.—¿Cuántas van?
DOÑA LORETA.—¡No lo sé, bebe!
DON FRIOLERA.—¿Quién está oculto en aquella puerta?
DOÑA LORETA.—¡El gato!
DON FRIOLERA.—¿Cuántas van?
DOÑA LORETA.—¡Bebe!
DON FRIOLERA.—Enciende una cerilla, Loreta. ¿Quién está oculto en aquella puerta? ¡No te escondas, miserable!
DOÑA LORETA.—¡Bebe!
DON FRIOLERA.—¡Es Pachequín! ¡Loreta, pon una sartén a la lumbre! ¡Vas a freírme los hígados de ese pendejo[65]!
DOÑA LORETA.—¡No me asustes, Pascual!
DON FRIOLERA.—¡Y no tendrás más remedio que probar una tajada!

---

[64] *Mosca:* pelo que nace al hombre entre el labio inferior y el comienzo de la barba *(DRAE).*
[65] *Pendejo:* americanismo: ruin, malvado.

DOÑA LORETA.—¡Ya la cogiste!

DON FRIOLERA.—¡Ese Pachequín es un busca pendencias! ¿A qué fue ponerse tan gallo? ¿Duermes, Loreta? Responde. ¿Duermes?

DOÑA LORETA.—Duermo.

DON FRIOLERA.—Tú, con tu actitud, le diste alas. Responde, Loreta.

DOÑA LORETA.—Me he quedado sorda de un aire.

DON FRIOLERA.—¡Impúdica!

DOÑA LORETA.—¡Mierda!

DOÑA LORETA *toma el quinqué, y dejando la sala a oscuras, se mete por la puerta de escape pintada de azul, recogidas sobre una cadera las sueltas enaguas.*

DON FRIOLERA.—Si tú ocupas la cama matrimonial, yo dormiré en la esterilla.

DOÑA LORETA.—¡Duerme debajo de la escalera, como San Alejo[66]!

DON FRIOLERA.—¡Loretita! Donde hay amor, hay celos[67]. No te enojes, pichona, con tu pichón. ¿Duermes, Loretita?

ESCENA SÉPTIMA

El billar de DOÑA CALIXTA: *Sala baja con pinturas absurdas, de un sentimiento popular y dramático.—Contrabandistas de trabuco y manta jerezana; manolas de bolero*

---

66 *San Alejo:* cuenta la historia de este santo que tras una dilatada ausencia de su hogar volvió a él para vivir como un mendigo sin ser reconocido.

67 *Donde hay amor, hay celos:* anota Senabre que es variante de un refrán antiguo.

y calañés, con ojos asesinos; picadores y toros, alaridos del rojo y del amarillo.—CURRO CADENAS *toma café en la mesa más cercana al mostrador, y conversa con la dueña, que sobre un fondo de botillería, destaca su busto propincuo, de cuarentona.*

DOÑA CALIXTA.—¿Currillo, ha oído usted esa voz de que expulsan de la milicia a Don Friolera?

CURRO.—Usted siempre estará mejor enterada, Doña Calixta.

DOÑA CALIXTA.—Pues no lo estoy.

CURRO.—Como tiene usted de huésped al Teniente Rovirosa.

DOÑA CALIXTA.—Ese señor, para guardar un secreto, es la rúbrica de un escribano.

CURRO.—¿No están reunidos en el piso de arriba los tres Tenientes?

DOÑA CALIXTA.—Con dos barajas.

CURRO.—De ahí saldrá la bomba[68].

DOÑA CALIXTA.—Sentiré la desgracia de Don Friolera. ¡Era un sujeto muy dccente!

CURRO.—Había dado un cambiazo.

DOÑA CALIXTA.—Otro vendrá que le haga bueno.

CURRO.—En general, la clase de oficiales es decente. El mal está en los altos espacios. ¡Allí no entienden si no es por miles de pesetas! ¡La parranda de los guarismos es aquello!

DOÑA CALIXTA.—¡Si usted no pisa por esos suelos alfombrados!

---

[68] *Bomba:* noticia que se suelta de improviso y causa estupor *(DRAE).*

CURRO.—¡Qué sabe usted de los palacios donde yo entro! Un servidor ha dejado por las alturas más pápiros[69] que tiene el Banco de España.

DOÑA CALIXTA.—Currillo, es usted un telescopio contando.

CURRO.—Tómelo usted a guasa.

DOÑA CALIXTA.—¿Tiene usted fábrica de moneda?

CURRO.—¡Así es! El Gobierno me ha concedido el monopolio de los duros sevillanos[70].

DOÑA CALIXTA.—¡Para hacerse rico!

CURRO.—No tanto. La flor del negocio se la llevan las acciones liberadas.

DOÑA CALIXTA.—¡Guasista! Cállese un momento. ¡Arriba hablan recio!

CURRO.—Me parece que disputan por una jugada.

El Teniente DON FRIOLERA, *escoltado por un perrillo con borla en la punta del rabo, entra en la sala de los billares. Zancudo, amarillento y flaco, se llega al mostrador, bordeando las grandes mesas verdes, y saluda, alzada la mano a la visera del ros.*

DON FRIOLERA.—Doña Calixta, una copa de aguardiente, que no voy a pagar.

DOÑA CALIXTA.—Tiene usted crédito.

DON FRIOLERA.—Salí de casa sin tabaco y sin numerario[71]. Tuvimos una nube en el matrimonio, y no he querido pedirle a mi señora la llave de la gaveta.

CURRO.—Doña Calixta, si aquí me autoriza, esta copa la paga un servidor.

---

[69] *Pápiros:* billetes de banco.

[70] *Duros sevillanos:* monedas de plata acuñadas clandestinamente, que circularon por muchas zonas (Senabre).

[71] *Numerario:* dinero en efectivo.

DON FRIOLERA.—Currillo, no te subas a la gavia[72], pero ésta prefiero debérsela a Doña Calixta.

CURRO.—Con lo cual quiere decirse que tomará usted otra, mi Teniente.

DON FRIOLERA.—¡Bueno!

Con gesto confidencial, se aparta al fondo de una ventana, y hace señas al otro para que le siga. CURRO CADENAS *toma una expresión de sorna.*

DON FRIOLERA.—¡Mira, hijo, bebo para sacarme un clavo del pensamiento!

CURRO.—¡Ni una palabra más!

DON FRIOLERA.—¿Tú me comprendes?

CURRO.—¡Totalmente!

DON FRIOLERA.—¡Tengo el corazón lacerado! ¡Mi mujer me ha salido rana!

CURRO.—¡Siento la ocurrencia[73]!

DON FRIOLERA.—¿Ya lo sabías, verdad?

CURRO.—Andaba ese runrún[74]. Fúmese usted ese tabaco, mi Teniente.

DON FRIOLERA.—Estoy en ayunas, y puede marearme. ¡Engañado por el amigo y por la depositaria de mi honor!

CURRO.—La vida está llena de esos casos. ¡Hay que tener otra conformidad, mi Teniente!

DON FRIOLERA.—¿Para qué nacemos?

CURRO.—Para rabiar. Somos las consecuencias de los buenos ratos habidos entre nuestros padres. ¿No se fuma usted el veguero?

---

[72] *Gavia:* vela que se coloca en el mastelero mayor de las naves *(DRAE).* Senabre explica así su uso aquí: «Sobre el esquema de modismos como *subirse a la parra* ("excederse"), Valle utiliza *subirse a la gavia,* cuyo significado parece ser más bien "enfadarse"».

[73] *La ocurrencia:* lo ocurrido.

[74] *Runrún:* rumor.

DON FRIOLERA.—Dame una cerilla. ¡Gracias! Mira cómo me tiembla la mano.

CURRO.—Eso son nervios.

DON FRIOLERA.—¡Es el fruto del puñal que llevo en el corazón!

CURRO.—Mi Teniente, ande usted con pupila[75], que los señores oficiales están reunidos en el piso alto.

DON FRIOLERA.—Desprecio el vil metal, hijo mío. ¡Ya sabes que nunca he sido interesado! Déjalos a ellos que prevariquen, sin acordarse de este veterano.

CURRO.—A lo que se mienta, no va por ahí el motivo de esa reunión.

DON FRIOLERA.—¡A mí, plin![76]. Tengo el corazón lacerado.

CURRO.—De esa reunión pudiera salir para usted una novedad nada buena. Mi Teniente, se corre que le forman a usted Tribunal.

DON FRIOLERA.—¡Friolera! ¿Que me forman Tribunal? ¿Y por qué?

CURRO.—¡Me extraña verle tan ciego! Parece que por sus pleitos familiares.

DON FRIOLERA.—En ellos, solamente yo puedo ser juez.

CURRO.—Así debía ser. Una pregunta, mi Teniente.

DON FRIOLERA.—Venga.

CURRO.—¿De tener que solicitar el retiro, cambiaría usted de residencia?

DON FRIOLERA.—No lo he pensado.

CURRO.—Le debo a usted una explicación, Don Pascual. La casa que usted habita, a mi señora le hace tilín[77]. ¡Es una jaula muy alegre!

---

[75] *Andar con pupila:* andar con vista.

[76] *A mí, plin:* me da igual.

[77] *Hacer tilín:* agradar, atraer.

DON FRIOLERA.—¡Maldita sea!

DON FRIOLERA *apura la copa servida en el mostrador, se encasqueta el ros y con las manos metidas en los bolsillos del capote, sale a la calle, silbando al perrillo que le sigue, moviendo la borla del rabo.*

DOÑA CALIXTA.—Parece mochales[78].

CURRO.—Completamente.

DOÑA CALIXTA.—Siento su desgracia. Era un apreciable sujeto.

CURRO.—Un viva la Virgen[79].

DOÑA CALIXTA.—Doña Loreta merecía ser emplumada[80].

CURRO CADENAS *se acerca al mostrador y pomposo deja caer un machacante*[81] *haciéndolo saltar. Espera la vuelta dando lumbre a un habano, y bajo el reflejo de la cerilla, su cara es luna llena. Recibido el dinero, se lo guarda con un guiño.*

CURRO.—Doña Calixta, tengo en cierto lugar una pacotilla[82] de género inglés, y cornea sobre esa querencia un toro marrajo[83]. Doña Calixta, usted podría muletearlo.

DOÑA CALIXTA.—No me penetro[84].

---

[78] *Mochales:* loco.

[79] *Ser un viva la Virgen:* persona despreocupada y poco juiciosa.

[80] *Emplumada:* tradicionalmente se ponía plumas a las alcahuetas, para afrentarlas.

[81] *Machacante:* duro, moneda de cinco pesetas.

[82] *Pacotilla:* porción de géneros que los marineros u oficiales de un barco pueden embarcar por su cuenta, libre de fletes *(DRAE).*

[83] *Toro marrajo:* se dice del toro malicioso que no embiste sino a golpe seguro.

[84] *Penetrarse:* enterarse.

CURRO.—En cuanto le apunte el nombre, está usted más que penetrada.

DOÑA CALIXTA.—Acaso.

CURRO.—Yo sabría corresponder...

DOÑA CALIXTA.—Puede.

CURRO.—No se ponga usted enigmática, Doña Calixta.

DOÑA CALIXTA.—¡Currillo, usted anda en muy malos pasos!

CURRO.—Hay que ganarse el manró[85], y todos nos debemos ayuda mutua, Doña Calixta. Nosotros, los que con sudores y trabajos hemos sabido juntar unas pesetas, habíamos de sindicarnos como hace el proletariado.

DOÑA CALIXTA.—¡Currillo, el buey suelto bien se lame!

CURRO.—Doña Calixta, hoy todo está cambiando, y hasta son mentira los refranes. Vea usted cómo el obrero se conchaba para subir los jornales. ¡Qué va! Hasta el propio Gobierno se conchaba para sacarnos los cuartos en contribuciones y Aduanas.

DOÑA CALIXTA.—Ésas no son novedades.

CURRO.—¿Doña Calixta, quiere usted que hablemos sin macaneos?

DOÑA CALIXTA.—Yo bailo al son que me tocan.

CURRO.—Pues oído al repique: Hay a la vista un negocio, si usted camela al Teniente Rovirosa. ¿Hace?

DOÑA CALIXTA.—Apenas llevamos trato. Buenos días. Buenas noches. Él, arriba o en sus guardias. Yo, aquí. La cuenta a fin de mes. Viene usted mal informado, Currillo.

CURRO.—Otra cosa me habían contado.

DOÑA CALIXTA.—Hay lenguas muy embusteras.

CURRO.—No ha sido en desdoro, Doña Calixta.

DOÑA CALIXTA.—¿Qué le habían contado?

---

[85] *Manró:* gitanismo: pan.

CURRO.—Que el Teniente es hombre de gusto.

DOÑA CALIXTA.—¡Y que me deshace la cama!

CURRO.—No, señora. Que usted le da achares [86].

DOÑA CALIXTA.—Menos mal.

CURRO.—Y lo he creído, porque usted es muy inhumana.

DOÑA CALIXTA.—¿Me juzgaba usted otra Doña Loreta?

CURRO.—Nunca sería el mismo caso. Usted es libre, Doña Calixta.

DOÑA CALIXTA.—Nunca se es libre para pecar.

CURRO.—Hacer hijos no es pecado.

DOÑA CALIXTA.—¿Y quién los mantiene?

CURRO.—El Erario Público.

DOÑA CALIXTA.—Eso será en las Repúblicas.

CURRO.—En toda la Europa. Y por las señales, a pesar del oscurantismo, no tardará en España.

DOÑA CALIXTA.—Aquí no estamos para esas modas de extranjis [87].

CURRO.—Por de pronto, ya le han dado mulé [88] a Dato.

DOÑA CALIXTA.—Unos asesinos.

CURRO.—Conforme. Mis ideas también son antirrevolucionarias. El que tiene un negocio, y cuatro patacones [89], no puede ser un ácrata. Pero se guipa [90] alguna cosa, y comprendo que el orden social se tambalea. Doña Calixta, los negocios están muy malos. Ahora hablan de suprimir las Aduanas, y a nosotros es matarnos: Si todos los artículos entran libremente, se acabó el contrabando. ¿Qué hace usted? Poner una bomba.

---

[86] *Dar achares: achares* es un gitanismo que significa celos, es decir, dar celos.

[87] *Extranjis:* extranjero.

[88] *Dar mulé:* gitanismo: matar.

[89] *Patacón:* moneda de plata de una onza.

[90] *Guipar:* ver, observar.

DOÑA CALIXTA.—¡Yo, no!

CURRO.—Porque usted ya se apaña retirada del matuteo.

DOÑA CALIXTA.—¡A Dios gracias!

CURRO.—Acuérdese usted de cuando andaba en estos trotes, y saque un ánima del Purgatorio.

DOÑA CALIXTA.—Le rezaré un rosario.

CURRO.—¿Quiere usted cegar[91] a su alojado con dos veraguas[92]?

DOÑA CALIXTA.—¿Dos veraguas son cuarenta machacantes?

CURRO.—Propiamente.

DOÑA CALIXTA.—¡Me los tira a la cara! ¡Ni que fuera un pelanas! Llegue usted a la corrida completa.

CURRO.—No da el negocio para tanto.

DOÑA CALIXTA.—¡Miau!

Reaparece DON FRIOLERA, *el aire distraído, los ojos tristes, gesto y visajes de maniático. Entra furtivo, y se sienta en un rincón. El perrillo salta sobre el mugriento terciopelo del diván y se acomoda a su lado. Acude* BARALLOCAS, *el mozo del cafetín.*

BARALLOCAS.—¿Desea usted algo?

DON FRIOLERA.—¡Un veneno!

BARALLOCAS, *con gesto conciliador, pone sobre la mesa un servicio de café, y con la punta de la servilleta ahuyenta al perrillo del refugio del diván. Se pega en el labio la colilla que lleva en la oreja, enciende, humea y ocupa el puesto del perrillo, al lado de* DON FRIOLERA.

---

[91] *Cegar:* sobornar.

[92] *Veragua:* billete de banco.

BARALLOCAS.—¡Hay que ser filósofo!

DON FRIOLERA.—¡Pues yo no lo soy!

BARALLOCAS.—¡Mal hecho! En España vivimos muy atrasados. Somos víctimas del clero. No se inculca la filosofía en los matrimonios, como se hace en otros países.

DON FRIOLERA.—¿Te refieres a la ley del divorcio?

BARALLOCAS.—¡Ya nos hemos entendido!

BARALLOCAS *guiña un ojo, y se levanta para acudir a la mesa donde acaban de sentarse* EL NIÑO DEL MELONAR, CURRO CADENAS *y* NELO EL PENEQUE. *El perrillo recobra de un salto su puesto en el diván, y sacude el terciopelo con la borla del rabo.*

ESCENA OCTAVA

Una sala con miradores que avistan a la marina. Sobre la consola, grandes caracoles sonoros y conchas perleras. El espejo, bajo un tul. En las paredes, papel con quioscos de mandarines, escalinatas y esquifes, lagos azules entre adormideras. La sierpe de un acordeón, al pie de la consola. En la cristalera del mirador, toman café y discuten tres señores oficiales: Levitines[93] *azules, pantalones potrosos*[94]*, calvas lucientes, un feliz aspecto de relojeros. Conduce la discusión* DON LAURO ROVIROSA, *que tiene un ojo de cristal, y cuando habla, solamente mueve un lado de la cara. Es Teniente veterano graduado de Capitán. Los otros dos, muy diversos de aspecto entre sí, son, sin embargo, de un parecido obsesionante, como acontece con esas parejas*

---

[93] *Levitín:* levita.

[94] *Potroso:* sucio, mugriento.

matrimoniales, de viejos un poco ridículos. DON GABINO CAMPERO, *filarmónico y orondo, está en el grupo de los gatos.* DON MATEO CARDONA, *con sus ojos saltones y su boca de oreja a oreja, en el de las ranas.*

EL TENIENTE ROVIROSA.—Para formar juicio, hay que fiscalizar los hechos. Se trata de condenar a un compañero de armas, a un hermano, que podríamos decir. Acaso nos veamos en la obligación de formular una sentencia dura, pero justa. Comienzo por advertir a mis queridos compañeros que, en puntos de honor, me pronuncio contra todos los sentimentalismos.

EL TENIENTE CAMPERO.—¡En absoluto conforme! Pero, a mi ver, deseo constatar que la justicia no excluye la clemencia!

EL TENIENTE CARDONA.—Hay que obligarle a pedir la absoluta[95]. El Ejército no quiere cabrones.

EL TENIENTE ROVIROSA.—¡Evidente!

DON LAURO *rubrica con un gesto tan terrible, que se le salta el ojo de cristal. De un zarpazo lo recoge rodante y trompicante en el mármol del velador, y se lo incrusta en la órbita.*

EL TENIENTE CARDONA.—Se trata del honor de todos los oficiales, puesto en entredicho por un teniente cuchara[96].

EL TENIENTE CAMPERO.—¡Protesto! El cuartel es tan escuela de pundonor como las Academias. Yo procedo de la clase de tropa, y no toleraría que mi señora me adornase la frente. Se habla, sin recordar que las mejores cabezas mili-

---

95 *La absoluta:* la baja del ejército.

96 *Teniente cuchara:* oficial de esta graduación, procedente de la tropa.

tares siempre han salido de la clase de tropa: ¡Prim, pistolo[97]! ¡Napoleón, pistolo!...

EL TENIENTE CARDONA.—¡Sooo! Napoleón era procedente de la Academia de Artillería.

EL TENIENTE CAMPERO.—¡Puede ser! Pero el General Morillo[98], que le dio en la cresta, procedía de la clase de tropa y había sido mozo en un molino.

EL TENIENTE ROVIROSA.—¡Como el Rey de Nápoles, el famoso General Murat[99]!

EL TENIENTE CAMPERO.—Tengo leído[100] alguna cosa de ese General. ¡Un tío muy bragado[101]! ¡Napoleón le tenía miedo!

EL TENIENTE CARDONA.—¡Tanto como eso, Teniente Campero! ¡Miedo el Ogro de Córcega!

EL TENIENTE CAMPERO.—Viene en la Historia.

EL TENIENTE CARDONA.—No la he leído.

EL TENIENTE ROVIROSA.—A mí, personalmente, los franceses me empalagan.

EL TENIENTE CARDONA.—Demasiados cumplimientos.

EL TENIENTE ROVIROSA.—Pero hay que reconocerles valentía. ¡Por algo son latinos, como nosotros!

EL TENIENTE CARDONA.—Desde que hay mundo, los españoles les hemos pegado siempre a los gabachos.

EL TENIENTE ROVIROSA.—¡Y es natural! ¡Y se explica! ¡Y se comprende perfectamente! Nosotros somos moros y

---

[97] *Pistolo:* soldado de infantería.

[98] *General Morillo:* Pablo Morillo (1778-1837) destacó en la guerra de la Independencia, después fue capitán general de Galicia.

[99] *General Murat:* cuñado de Napoleón, jefe del ejército francés en España en 1808.

[100] *Tengo leído:* construcción gallega: he leído.

[101] *Bragado:* valiente.

latinos. Los primeros soldados, según Lord Wellington [102]. ¡Un inglés!

EL TENIENTE CAMPERO.—A mi parecer, lo que más tenemos es sangre mora. Se ve en los ataques a la bayoneta.

EL TENIENTE DON LAURO ROVIROSA *alza y baja una ceja, la mano puesta sobre el ojo de cristal por si ocurre que se le antoje dispararse.*

EL TENIENTE ROVIROSA.—¡Evidente! Somos muchas sangres, pero prepondera la africana. Siempre nos han mirado con envidia otros pueblos, y hemos tenido lluvia de invasores. Pero todos, al cabo de llevar algún tiempo viviendo bajo este hermoso sol, acabaron por hacerse españoles.

EL TENIENTE CARDONA.—Lo que está ocurriendo actualmente con los ingleses de Gibraltar.

EL TENIENTE CAMPERO.—Y en Marruecos. Allí no se oye hablar más que árabe y español.

EL TENIENTE CARDONA.—¿Tagalo, no?

EL TENIENTE CAMPERO.—Algún moro del interior. Español es lo más que allí se habla.

EL TENIENTE CARDONA.—Yo había aprendido alguna cosa de tagalo en Joló [103]. Ya lo llevo olvidado: *Tanbú,* que quiere decir puta. *Nital budila:* Hijo de mala madre. *Bede tuki pan pan bata:* ¡Voy a romperte los cuernos!

EL TENIENTE ROVIROSA.—¡Al parecer, posee usted a la perfección el tagalo!

---

[102] *Lord Wellington:* Arthur C. Wellesley, duque de Wellington (1769-1852), general que dirigió las tropas aliadas contra los ejércitos de Napoleón.

[103] *Joló:* provincia meridional de Filipinas, donde tuvieron lugar algunas batallas antes de la independencia.

EL TENIENTE CARDONA.—¡Lo más indispensable para la vida!

EL TENIENTE ROVIROSA.—¡Evidente! A mí se me ha olvidado lo poco que sabía, e hice toda la campaña en Mindanao [104].

EL TENIENTE CARDONA.—Yo he pasado cinco años en Joló. ¡Los mejores de mi vida!

EL TENIENTE ROVIROSA.—No todos podemos decir lo mismo. Ultramar ha sido negocio para los altos mandos y para los sargentos de oficinas... Mindanao tiene para mí mal recuerdo: Enviudé, y he perdido el ojo derecho de la picadura de un mosquito.

EL TENIENTE CARDONA.—La Isla de Joló ha sido para mí un paraíso. Cinco años sin un mal dolor de cabeza y sin reservarme de comer, beber y lo que cuelga [105].

EL TENIENTE CAMPERO.—¡Las batas [106] de quince años son muy aceptables!

EL TENIENTE CARDONA.—¡De primera! Yo les daba un baño, les ponía una camisa de nipis [107], y como si fuesen princesas.

Su risa estremece los cristales del mirador, la ceniza del cigarro le vuela sobre las barbas, la panza se infla con regocijo saturnal. Bailan en el velador las tazas del café, salta el canario en la jaula y se sujeta su ojo de cristal EL TENIENTE DON LAURO ROVIROSA.

---

[104] *Mindanao:* isla del archipiélago filipino.

[105] *Lo que cuelga:* lo demás, pero también expresión obscena.

[106] *Bata:* niña, voz tagala.

[107] *Nipis:* voz tagala, que *DRAE* define como tela fina casi transparente y de color amarillento, que tejen en Filipinas con las fibras más tenues sacadas de los peciolos de las hojas del abacá.

EL TENIENTE CAMPERO.—¡Qué tío sibarita!

EL TENIENTE CARDONA.—¡Aún de alegría me crispo al recordar su tesoro [108]!

EL TENIENTE ROVIROSA.—Permítanme ustedes que les recuerde el objetivo que aquí nos reúne. Un primordial deber nos impone velar por el decoro de la familia militar, como ha dicho en cierta ocasión el heroico General Martínez Campos [109]. Procedamos sin sentimentalismos, castiguemos el deshonor, exoneremos de la familia militar al compañero sin, sin, sin...

EL TENIENTE CARDONA.—Posturitas de gallina.

EL TENIENTE ROVIROSA.—La frase no es muy parlamentaria.

EL TENIENTE CARDONA.—¿Queda o no queda admitida?

EL TENIENTE CAMPERO.—Admitida. No nos ruborizamos.

EL TENIENTE ROVIROSA.—Meditemos un instante y puesta la mano sobre la conciencia, dictemos un fallo justo. El apuntamiento reza así.

EL TENIENTE CARDONA.—Prescindamos del cartapacio.

EL TENIENTE CAMPERO.—¡Conforme!

EL TENIENTE CARDONA.—La cuestión está situada entre estos dos conceptos, que llamaremos de justicia y de gracia. Primero: ¿Al Teniente Don Pascual Astete y Bargas, se le expulsa de las filas pronunciando sentencia un Tribunal

---

[108] *¡Aún de alegría me crispo al recordar su tesoro!:* anota Senabre: «Aunque con otra intención, se repiten aquí los versos de *Don Juan Tenorio* (I, 13), de Zorrilla, puestos en boca de don Luis Mejía al evocar sus latrocinios: "¡Qué noche! Por el decoro / de la Pascua, el buen Obispo / bajó a presidir el coro, / aún de alegría me crispo / al recordar su tesoro"». *Tesoro* adquiere en el texto de Valle-Inclán un sentido sexual.

[109] *General Martínez Campos:* Arsenio Martínez Campos (1831-1900) fue profesor de la Escuela de Estado Mayor e intervino en las guerras de África y Cuba. Proclamó rey a don Alfonso XII en el pronunciamiento de Sagunto (1874) y desempeñó diversos cargos políticos.

de Honor? Segundo: ¿Se le llama y amonesta y conmina, de un cierto modo confidencial, para que solicite la absoluta? Yo creo haber declarado que me pronuncio contra todos los sentimentalismos.

EL TENIENTE CAMPERO.—¿Qué retiro le queda?

EL TENIENTE ROVIROSA.—¡El máximo! No se muere de hambre. Todavía junta al retiro, dos pensionadas.

EL TENIENTE CARDONA.—¡No hay como esos pipis [110] para tener suerte! Este cura [111] no tiene ni una pensionada. Y ha servido en Joló, en Cuba y en África.

EL TENIENTE ROVIROSA.—Pero usted ha estado siempre en oficinas.

EL TENIENTE CARDONA.—Porque tengo buena letra. ¡No me haga usted de reír!

EL TENIENTE ROVIROSA.—Usted poco ha salido a campaña.

EL TENIENTE CARDONA.—¿Es que solamente se ganan las cruces en campaña? ¡El Rey tiene todas las condecoraciones, y no ha estado nunca en campaña!

EL TENIENTE CAMPERO.—¡Ha estado en maniobras!

EL TENIENTE ROVIROSA.—No es cuestión del Rey. El Rey es un símbolo, una representación de todas las glorias del Ejército.

EL TENIENTE CAMPERO.—¡Naturaca [112]!

EL TENIENTE ROVIROSA.—Nos hemos salido de la cuestión, sin haber llegado a un acuerdo. Recapitulemos. ¿Se conmina privadamente al supradicho oficial para que solicite el retiro? ¿Le exoneramos públicamente, constituidos en Tribunal de Honor?

---

[110] *Pipis:* tonto, ingenuo.
[111] *Este cura:* expresión popular: yo.
[112] *Naturaca:* naturalmente.

EL TENIENTE CARDONA.—Propongo que se le llame, y cada uno de nosotros le atice un capón. ¿Es que vamos a tomar en serio los cuernos de Don Friolera?

EL TENIENTE ROVIROSA.—Yo creo que sí. Oigamos, sin embargo, lo que opina el Teniente Campero.

EL TENIENTE CAMPERO.—Es muy duro sentenciar sin apelación.

EL TENIENTE ROVIROSA.—El fallo iría en consulta a la Superioridad.

EL TENIENTE CAMPERO.—La justicia no excluye la clemencia.

EL TENIENTE ROVIROSA.—¡Evidente! ¿Quieren ustedes delegar en mí para que visite al Teniente Don Pascual Astete?

EL TENIENTE CARDONA.—Por mí, delegado.

EL TENIENTE CAMPERO.—Por mí, tal y tal.

EL TENIENTE ROVIROSA.—Profundamente agradecido a la confianza depositada en mí, creo que procede reunirnos esta noche. Yo traeré un borrador del acta, y si ustedes están conformes, la firmaremos.

EL TENIENTE CAMPERO.—Hay que pagar el café.

EL TENIENTE ROVIROSA.—Yo soy huésped en la casa, y les convido a ustedes.

Los tres están en pie: Se abotonan, se ciñen las espadas, se ladean el ros mirándose de reojo en el espejo de la consola.

EL TENIENTE CARDONA.—¡Partamos a la Guerra de los Treinta Años!

ESCENA NOVENA

El huerto de DON FRIOLERA, *a la puesta del sol.—La tapia rosada, los naranjos esmaltes de verdes profundos, el fruto de oro.—La estrella de una alberca entre azulejos. Bajo la luz verdosa del emparrado, medita la sombra de* DON FRIOLERA: *Parches en las sienes, babuchas moras, bragas azules de un uniforme viejo, y jubón amarillo de franela. El Teniente aparece sentado en una banqueta de campamento, tiene a la niña cabalgada y la contempla con ojos vidriados y lánguidos de perro cansino.* MANOLITA *lleva el pelo sujeto por un arillo de coralina, las medias caídas y las cintas de las alpargatas sueltas. Tiene el aire triste, la tristeza absurda de esas muñecas emigradas en los desvanes.*

MANOLITA.—¡Papitolín, procura distraerte! ¡Aserrín! ¡Aserrán! [113]... ¡Anda, papitolín!

DON FRIOLERA.—¡No puedo! Tu tierna edad te dicta esas palabras. Serás mujer y comprenderás lo que entre tu padre y tu madre ahora se pasa [114]. Tu padre, el que te dio el ser, no tiene honra, monina. ¡La prenda más estimada, más que la hacienda, más que la vida!... ¡Friolera!

MANOLITA.—¡Papitolín, no tengas malas ideas!

DON FRIOLERA.—¡Me quemo en su infierno!

MANOLITA.—¡Papitolín, alégrate!

DON FRIOLERA.—¡No puedo!

MANOLITA.—¡Ríete!

DON FRIOLERA.—¡No puedo!

---

[113] *¡Aserrín! ¡Aserrán!:* primer verso de una cantinela infantil que acompaña un movimiento de vaivén, imitando el movimiento de *aserrar,* de donde ha surgido.

[114] *Se pasa:* galicismo: sucede.

MANOLITA.—¡Porque no quieres!

DON FRIOLERA.—¡Porque no tengo honor!

MANOLITA.—¿Papitolín, te traigo la guitarra para distraerte?

DON FRIOLERA.—¡Para llorar mis penas!

MANOLITA *trae la guitarra.* DON FRIOLERA *la saca de su funda de franela verde, y la templa con gesto lacrimatorio* [115], *que le estremece el bigote mal teñido. Los ojos de perro, vidriados y mortecinos, se alelan mirando a la niña.*

DON FRIOLERA.—¡Eres la clavellina de mi existencia!

MANOLITA.—¡Papitolín, cuánto te quiero!

DON FRIOLERA.—¡Friolera!

MANOLITA, *repentinamente compungida, besa la mejilla del viejo, que le acaricia la cabeza, y suspira arrugando el pergamino del rostro con una mueca desconsolada.*

DON FRIOLERA.—¡Lástima que seas tan niña!

MANOLITA.—¡Ya seré grande!

DON FRIOLERA.—Yo no lo veré.

MANOLITA.—¡Sí tal!

DON FRIOLERA.—¿Tú no sabes que me he muerto esta noche? ¡Esta noche me han cantado el gorigori [116]!

MANOLITA.—¡Te vas a volver loco, papitolín!

DON FRIOLERA.—¡Ya lo estoy!

MANOLITA.—Con la guitarra te distraes.

DON FRIOLERA.—¡Se acabó el mundo para este viejo!

---

[115] *Lacrimatorio:* lacrimoso.

[116] *Gorigori:* voz con que se alude al canto lúgubre de los entierros *(DRAE).*

MANOLITA.—Toca *El Contrabandista.*
DON FRIOLERA.—Veré si puedo.

DON FRIOLERA *recorre la guitarra con una falseta* [117], *y rasguea el acompañamiento de una copla, que canta con voz quebrada y jiponcios* [118] *de mucho estilo.*

Copla de DON FRIOLERA:

¡Ya se acabó mi ventura!
¡Ya se acabó mi consuelo!
¡Ya no tengo quien me diga
Mi niño, por ti me muero!

En una buharda, por encima de los tejados, aparece la cabeza pelona de DOÑA TADEA CALDERÓN.

DOÑA TADEA.—Después del tiberio [119] nocturno, ahora esta juelga. ¡Tiene usted a todo el vecindario escandalizado, Señor Teniente!
DON FRIOLERA.—¿Qué pide el honrado y cabrón vecindario, Doña Tadea?
DOÑA TADEA.—Para poner tachas, no es usted el más competente, Don Vihuela.
MANOLITA.—¡Cotillona!
DOÑA TADEA.—¡Mocosa! Con los ejemplos que recibes no puedes tener otra crianza.

---

[117] *Falseta:* en la música popular de guitarra, frase melódica o floreo que se intercala entre las sucesiones de acordes destinados a acompañar la copla *(DRAE).*
[118] *Jiponcios:* se forma mediante *jipío* (modulación de la voz) y *soponcio* (desmayo).
[119] *Tiberio:* alboroto.

DON FRIOLERA.—A usted la cazo yo de un tiro, como a un gorrión. ¡Friolera!

DOÑA TADEA.—Yo saco la cara por mi pueblo. Adulterios y licencias, acá solamente ocurren entre familias de ciertos sujetos que vienen rodando la vida... ¡Falta de principios! Mengues y dengues y perendengues [120].

Fresca y pomposa, con peinador de muchos lazos, la escoba en la mano, y un clavel en el rodete, asoma en el huerto la Señora Tenienta.

DOÑA LORETA.—¿Qué picotea [121] usted, Doña Tadea?

DOÑA TADEA.—Primero, son las buenas tardes, Señora Tenienta.

DOÑA LORETA.—Para usted serán buenas.

DOÑA TADEA.—Y para usted, pues tiene el bien de la salud.

DOÑA LORETA.—Para mí son muy negras.

DOÑA TADEA.—¡La compadezco!

MANOLITA.—¡Cotillona!

DOÑA TADEA.—¡Dele usted un revés a esa moña! ¡Edúquela usted, Señora Tenienta!

DOÑA LORETA.—Disimule usted, Doña Tadea.

DON FRIOLERA.—¡Niños y locos pregonan verdades!

DOÑA TADEA.—¡Chiflado! ¿Es conducta a la noche querer matar a la mujer, y ahora esta juelga?

DON FRIOLERA.—¿Halla usted la guitarra desafinada? Voy a templarla, para cantarle a usted una petenera.

---

[120] *Mengues y dengues y perendengues:* anota Senabre: «*A dengues* (remilgos) y *perendengues* (adornos de poco valor), emparejados pueden significar "apariencias o falsedades, remilgos"». Se suma aquí *mengues,* vaciado de contenido para reforzar la fórmula.

[121] *Picotear:* murmurar.

DOÑA TADEA.—¡Insolente!

DON FRIOLERA.—Ya me saltó la prima.

DOÑA LORETA.—Mira si puedes empalmarla, Pascual.

DON FRIOLERA.—Voy a verlo. No tiene muy buen avío.

DOÑA LORETA.—¡Son dos reales!

DON FRIOLERA.—Ya lo sé, Loreta.

DOÑA TADEA.—¡Al cabo, son ustedes gente que viene rodando!

DOÑA TADEA *cierra de golpe el ventano, la Tenienta éntrase a la casa con un remangue* [122], *y el Teniente rasguea la guitarra con repique de los dedos en la madera.*

Copla de DON FRIOLERA:

Una bruja al acostarse
se dio sebo a los bigotes,
y apareció a la mañana
comida de los ratones.

DOÑA TADEA *abre repentinamente el ventano, al final de la copla, y aparece con un guitarrillo, el perfil aguzado, los ojos encendidos y redondos, de pajarraco. Rasguea y canta con voz de clueca.*

Copla de DOÑA TADEA:

¡Cuatro cuernos del toro!
¡Cuatro del ciervo!
¡Cuatro de mi vecino!
¡Son doce cuernos!

---

[122] *Remangue:* gesto decidido.

MANOLITA *corre por el huerto llenando el delantal de naranjas podres, y vuelve al lado de su padre.* DON FRIOLERA *deja la guitarra sobre el banquillo, y pone en el ventano el blanco de un pim, pam, pum.* DOÑA TADEA *aparece y desaparece.*

DOÑA TADEA.—¡Grosero!
DON FRIOLERA.—¡Pim!
DOÑA TADEA.—¡Papanatas!
DON FRIOLERA.—¡Pam!
DOÑA TADEA.—¡Buey!
DON FRIOLERA.—¡Pum!

ESCENA DÉCIMA

La garita de los carabineros en la punta del muelle, siempre batida por la bocana[123] *de aire: Noche de luceros en el recuadro del ventanillo. Un fondo divino de oro y azul para los aspavientos de un fantoche.* DON FRIOLERA *se pasea. Tras de su sombra, va y viene el perrillo.* DON FRIOLERA *mece la cabeza con mucho compás. De pronto se detiene, y cruzando las manos a la espalda, hinca la mirada en el ángulo de sus botas donde juega Merlín.*

DON FRIOLERA.—¡Vamos a ver! ¿No puedes estarte quieto un momento con la borla del rabo?

Merlín bosteza, y entre los colmillos alarga la lengua blanca, como si se consultase de sus males. DON FRIOLERA

---

[123] *Bocana:* bocanada.

le aparta con un signo estrambótico de sabio maniático. El perrillo se levanta en dos patas y hace una escala de ladrillos en la segunda octava. Una gracia que le enseñó la Tenienta. DON FRIOLERA *siente el alma cubierta de recuerdos: El canario, la gata, la niña, la escoba de* DOÑA LORETA. *¡El guitarreo desafinado de* PACHEQUÍN! *El perfil de bruja de* DOÑA TADEA.

DON FRIOLERA.—¡Era feliz! ¡Friolera! ¡Indudablemente era feliz sin haberme enterado! ¡Friolera! ¡Friolera! ¡Friolera! El mundo es engaño y apariencia: Se enteran los mirones, y uno no se entera. ¡Ni de lo bueno ni de lo malo!... ¡Uno nunca se entera! Yo me quejaba de mi suerte, y nada me faltaba. ¡Todo lo tenía dentro de mi jaula! ¿Cuándo me entero? ¡Cuando todo lo pierdo! ¡Cuando nada de aquello me resta! Estas trastadas no pueden ser obra de Dios. Al que las sufre, no puede pedírsele que colabore con el Papa. ¡Friolera! Este tinglado lo gobierna el Infierno. Dios no podría consentir estos dolores. ¡Ni Dios, ni ninguna persona de conciencia! ¡Friolera! ¡Todo lo tenía y no tengo nada! ¿Qué iba ganando con dejarme corito [124] el Padre Eterno? Le estoy dando vueltas, y este cisma [125] no es obra de ninguna cabeza superior: Puede ser que Dios y Satanás se laven las manos. Toda esta tragedia, la armó Doña Tadea Calderón. Con una palabra me echó al cuello la serpiente de los celos. ¡Maldita sea!

Entra una ráfaga de viento marino, y se arrebatan las hojas del calendario, colgado en un ángulo. La llama del quinqué se abre en dos cuernos. En la puerta, con la mano ante el ojo de cristal, está EL TENIENTE ROVIROSA.

---

[124] *Corito:* desnudo.
[125] *Cisma:* disputa, pendencia.

EL TENIENTE ROVIROSA.—¡Buenas noches, Pascual!

DON FRIOLERA.—¡Buenas!

EL TENIENTE ROVIROSA.—¿Muerde ese perrillo?

DON FRIOLERA.—No tiene esa costumbre.

EL TENIENTE ROVIROSA.—Sin embargo, podría usted llamarle.

DON FRIOLERA.—No hay inconveniente. ¡Ven acá, Merlín!

DON FRIOLERA *da palmadas en una silla. Merlín se encarama de un salto y, moviendo la borla del rabo, se acomoda.*

EL TENIENTE ROVIROSA.—Me trae un enojoso asunto.

DON FRIOLERA.—Lo adivino.

EL TENIENTE ROVIROSA.—Mi visita tiene un carácter a la vez privado y oficial. Un hombre de ciencia le llamaría anfibio. Yo no lo soy, y tampoco me creo autorizado para emplear esos términos.

DON FRIOLERA.—¿Quiere usted sentarse? Deja esa silla, Merlín.

EL TENIENTE ROVIROSA.—Estoy más tranquilo con que la ocupe el perrito.

DON FRIOLERA.—¡Bueno!

EL TENIENTE ROVIROSA.—Teniente Astete, un Tribunal compuesto de oficiales, me comisiona para conocer los antecedentes del enojoso contratiempo ocurrido entre usted y su señora.

DON FRIOLERA.—He resuelto no hablar de ese asunto.

EL TENIENTE ROVIROSA.—No puede usted contestar en esa forma a mi requerimiento.

DON FRIOLERA.—Pues así contesto.

EL TENIENTE ROVIROSA.—Pascual, sea usted razonable.

DON FRIOLERA.—No quiero.

EL TENIENTE ROVIROSA.—Se expone usted a que los oficiales adoptemos una resolución muy seria.

DON FRIOLERA.—Pueden ustedes cantarme el gorigori [126].

EL TENIENTE ROVIROSA.—No adelantemos los sucesos. En la reunión de oficiales se ha acordado que usted solicite el retiro.

DON FRIOLERA.—¿Y por qué? ¿Porque no tengo honor?

EL TENIENTE ROVIROSA.—Sobre nuestras decisiones no puedo admitir controversia.

DON FRIOLERA.—Mis cuernos no son una excepción en la milicia.

EL TENIENTE ROVIROSA.—Respete usted el honor privado de nuestra gloriosa oficialidad.

DON FRIOLERA.—Ningún militar está libre de que su señora le engañe. ¡Friolera! En ese respecto, el fuero no hace diferencia de la gente civil, y al más pintado le sale rana la señora.

EL TENIENTE ROVIROSA.—¡Evidente! ¡Pero se impone no tolerarlo! Los militares nos debemos a la galería.

DON FRIOLERA.—¿Y sabe usted mi intención oculta? ¡Pim! ¡Pam! ¡Pum!

EL TENIENTE ROVIROSA.—No sea usted guillado [127] y solicite el retiro.

DON FRIOLERA.—¿Usted qué haría en mis circunstancias?

EL TENIENTE ROVIROSA.—Si contestase a esa pregunta, contraería una gran responsabilidad.

DON FRIOLERA.—¿Usted lavaría su honor?

---

[126] *Gorigori:* voz con que se alude al canto lúgubre de los entierros *(DRAE).*

[127] *Guillado:* loco, chiflado.

EL TENIENTE ROVIROSA.—¡Evidente!

DON FRIOLERA.—¿Con sangre?

EL TENIENTE ROVIROSA.—¡Evidente!

DON FRIOLERA.—Mañana recibirá usted en su casa dos cabezas ensangrentadas.

EL TENIENTE ROVIROSA.—Real y verdaderamente, se impone un acto de demencia.

EL TENIENTE ROVIROSA.—¡Y lo tendré!

EL TENIENTE ROVIROSA.—¡Chóquela usted, Pascual! Deploro que ese granuja no sea un caballero, porque me da el corazón que le hubiera usted pasado de parte a parte.

DON FRIOLERA.—¡Friolera!

EL TENIENTE ROVIROSA.—Para mí, los desafíos representan un adelanto en las costumbres sociales. Otros opinan lo contrario, y los condenan como supervivencia del feudalismo. ¡Pero Alemania, pueblo de una superior cultura, sostiene en sus costumbres el duelo! ¡Para usted la desgracia ha sido la mala elección por parte de su señora!

DON FRIOLERA.—La cegó ese pendejo [128].

EL TENIENTE ROVIROSA.—¡Evidente!

DON FRIOLERA.—Mañana recibirá usted las dos cabezas.

EL TENIENTE ROVIROSA.—¡Deme usted un abrazo, Pascual! ¡Pulso firme! ¡Ánimo sereno! El Tribunal de Honor, fiado en la palabra de usted, suspenderá toda decisión.

DON FRIOLERA.—Hágale usted presente mi gratitud.

EL TENIENTE ROVIROSA.—Será usted complacido en tan honroso deseo.

DON FRIOLERA.—Si hoy tengo perdida la estimación de mis queridos compañeros, espero que pronto me la devolverán.

---

[128] *Pendejo:* americanismo: ruin, malvado.

EL TENIENTE ROVIROSA.—Yo también lo espero.
DON FRIOLERA.—¡Pim! ¡Pam! ¡Pum!

Merlín endereza las orejas, y de un salto se arroja a la puerta de la garita, desatado en ladridos, terrible la borla del rabo. DON FRIOLERA *gesticula ajeno a los ladridos del faldero, y está, con una mano en el ojo de cristal y otra en el puño de la espada,* EL TENIENTE DON LAURO ROVIROSA.

ESCENA UNDÉCIMA

Noche estrellada: Fragancia serena de un huerto de naranjos con el claro de luna sobre la tapia: Abre los brazos el pelele en la copa de la higuera. Cantan los grillos y se apagan las luces de algunas ventanas. El barbero, encaramado a un árbol, apunta el tajamar de la nariz acechando una reja vecina, en las frondas de otro huerto. DOÑA LORETA, *con peinador lleno de lazos, sale a la reja, y el galán saca la figura sobre la copa del árbol, negro y torcido como un espantapájaros.*

DOÑA LORETA.—¡Pachequín!
PACHEQUÍN.—¡Prenda adorada!
DOÑA LORETA.—¡Qué compromiso!
PACHEQUÍN.—¿Te llegó mi mensaje?
DOÑA LORETA.—¡Estoy volada [129]! A mí poco me importa morir, pero me sobrecoge pensar que peligra la vida de un sujeto de las circunstancias de usted, Pachequín.
PACHEQUÍN.—¡Así habla el amor! Por lo demás, un hombre es como otro, y servidorcito no le teme al Teniente.

---

[129] *Volada:* inquieta.

DOÑA LORETA.—¡Es un sanguinario!

PACHEQUÍN.—¡Yo soy alicantino! [130].

DOÑA LORETA.—¡Ay, Pachequín, qué negra estrella! Si tomó una resolución de matarnos, la cumplirá, es muy temoso.

PACHEQUÍN.—Yo, donde le vea venir frente a mí, le madrugo [131].

DOÑA LORETA.—Y se pierde usted, Pachequín.

PACHEQUÍN.—Nada me importa, si salvo la vida de una esposa mártir.

DOÑA LORETA.—¡Mi destino es morir degollada!

PACHEQUÍN.—¡O de un tiro traidor!...

DOÑA LORETA.—Lleva una faca.

PACHEQUÍN.—Pues el sujeto que me avisó de andar con cautela le ha visto aceitar un pistolón.

DOÑA LORETA.—Morir, no me importa.

PACHEQUÍN.—Ahora digo yo lo que me dijeron en cierta ocasión. La vida es muy rica.

DOÑA LORETA.—Cuando hay felicidad, Pachequín.

PACHEQUÍN.—Tu felicidad es ser mi compañera.

DOÑA LORETA.—No puedo abandonar mi obligación de esposa y madre.

PACHEQUÍN.—¿Eso quiere decir que al considerarme correspondido me equivocaba?

DOÑA LORETA.—Usted necesita una mujer sin compromisos.

PACHEQUÍN.—¡Loretita, todo nos une!

DOÑA LORETA.—¡Mi honra nos separa!

---

[130] *¡Yo soy alicantino!:* anota Senabre que lo más probable es que se trate de una formación caprichosa en el sustantivo *alicantina,* «astucia».

[131] *Madrugar:* adelantarse o ganar por la mano al que quiere hacer algún daño o agravio *(DRAE).*

PACHEQUÍN.—¿Y la vida?

DOÑA LORETA.—¡Prefiero la honra a todo!

PACHEQUÍN.—¡Mujer extraordinaria!

DOÑA LORETA.—Como debo de ser [132].

PACHEQUÍN.—Mi corazón enamorado no puede consentir que una esposa modelo sufra pena que no merece. Si ese hombre demente se sastisface con beberse mi sangre, me avistaré con él. ¡Se la ofreceré en holocausto, a cambio de salvarte!

DOÑA LORETA.—¡Yo soy quien debe morir!

PACHEQUÍN.—Morir o matar, a mí me sale por nada.

DOÑA LORETA.—¿Y no vernos más? ¡Ay Pachequín, ésas no son palabras de un hombre que ama!

PACHEQUÍN.—Lo son de un hombre desesperado.

DOÑA LORETA.—¡No me sobresaltes! ¿Qué pretendes?

PACHEQUÍN.—Que mires de salvar tu vida.

DOÑA LORETA.—¡Dame tú el remedio!

PACHEQUÍN.—¿Acaso no está manifiesto? ¡Pídele alas al amor! ¡Deja ese calabozo, deja esas tinieblas! [133].

DOÑA LORETA.—Calla. ¿Qué hombre eres tú? ¡Si me amas, calla! ¡No me ofusques! ¡Soy una débil mujer enamorada!

PACHEQUÍN.—¡Muéstralo!

DOÑA LORETA.—¿Y tú sabes a lo que te obligas? ¿Por ventura lo sabes? ¡Una mujer es una carga muy grande!

PACHEQUÍN.—¡Una mujer, si media amor, es un peso muy dulce!

---

[132] *Debo de ser:* uso vulgar de la perífrasis de obligación; sería debo ser.

[133] *¡Deja ese calabozo, deja esas tinieblas!:* puede haber una reminiscencia de la escena de *Don Juan Tenorio* en que don Juan invita a huir del convento a doña Inés, considerándolo prisión tenebrosa (acto IV, esc. III).

DOÑA LORETA.—Luego sentirás el empalago.

PACHEQUÍN.—¡Me calumnias!

DOÑA LORETA.—¡Tu desvío sería para mí una puñalada traidora!

PACHEQUÍN.—Juan Pacheco no da esas puñaladas.

DOÑA LORETA.—¿No tendrás ese descarte conmigo?

PACHEQUÍN.—¡Pídeme el juramento que te satisfaga!

DOÑA LORETA.—¡Tirano! ¡Manifiestas claramente el sacrificio que pretendes de esta mujer ciega!

PACHEQUÍN.—¡Que me sigas! ¡Te conduciré al fin del mundo! Lejos de aquí pasaremos por dos casados.

DOÑA LORETA.—¡Tentador, mira mis lágrimas, ya que mirar no sabes en mi corazón! ¡Juan Pacheco, soy madre, no pretendas que abandone al ser de mis entrañas!

PACHEQUÍN.—Concédeme siquiera venir una hora a mi casa. Cumple la promesa que me hiciste. ¡Loretita, has encendido el fuego de un volcán en mi existencia!

DOÑA LORETA.—¡Hombre fatal, no comprendes que si te sigo, me pierdo para siempre!

PACHEQUÍN.—¡No te retendré!

DOÑA LORETA.—Ni me harás tuya.

PACHEQUÍN.—Por la fuerza no apetezco yo cosa ninguna. ¡Recuerda mis procederes cuando te tuve en mis brazos! Baja al huerto, concédeme al menos hablarte con las manos enlazadas.

DOÑA LORETA.—¡Ay, Pachequín, tú conseguirás perderme!

PACHEQUÍN.—¡Concédeme la gracia que te pido!

DOÑA LORETA.—¡Me pedirías la vida y no sabría negártela, hombre fatal!

La Tenienta se retira de la reja y sale al huerto. Se anuncia sobre la arena del sendero, con rumor de enaguas almi-

donadas. El galán, negro y zancudo, salta del árbol a la tapia lunera, y de la tapia al huerto. Cae, abriendo las aspas de los brazos.

PACHEQUÍN.—¡Tormento!
DOÑA LORETA.—¡Tirano!

DOÑA LORETA, *suspira llevándose las manos a las sienes y el galán la abraza por el talle, bizcando un ojo sobre los perifollos del peinador, por guipar en la vasta amplitud de los senos.*

DOÑA LORETA.—¡La cabeza se me vuela!
PACHEQUÍN.—¡Mujer adorada!
DOÑA LORETA.—¡Casi no te veo!
PACHEQUÍN.—¡Arrebato de sangre, confusión de nervios, Loretita!
DOÑA LORETA.—¡Tendré que sangrarme!
PACHEQUÍN.—¡Vida mía, me entra un escalofrío de pensar que te pinchen la vena!
DOÑA LORETA.—¡Zaragatero[134]!
PACHEQUÍN.—¡Negrona[135]!
DOÑA LORETA.—¡Me pierdes!
PACHEQUÍN.—¡Fea!
DOÑA LORETA.—¡Déjeme usted, Pachequín!
PACHEQUÍN.—¡No puedo!
DOÑA LORETA.—¡Pero usted está siempre dispuesto!
PACHEQUÍN.—¡Naturalmente!
DOÑA LORETA.—¡Qué hombre!
PACHEQUÍN.—¡El propio para tus fuegos!

---

[134] *Zaragatero:* zalamero.
[135] *Negrona:* vocativo cariñoso.

DOÑA LORETA.—¡Se engaña usted, Pachequín! Yo soy una mujer apática. Déjeme usted seguir mi suerte. Somos en el querer muy opuestos.

PACHEQUÍN.—¡Me enciendes en una llama!

DOÑA LORETA.—¡Calla!... ¡Pasos en la casa y abrir y cerrar de puertas! ¡Estamos perdidos!

Espanto y aspavientos: Se desprende del abrazo amoroso y pone atención a los ventalles[136] *del huerto.* PACHEQUÍN, *de reojo, mide la tapia y tiende la oreja con el mismo gesto palpitante que* DOÑA LORETA.

PACHEQUÍN.—Me parece que ha sido un sobresalto inmotivado.

DOÑA LORETA.—¡Calla!

PACHEQUÍN.—¡No oigo nada!

DOÑA LORETA.—¡La niña se ha despertado y llora de miedo! ¿No la oyes, tirano? ¿No te conmueve?

PACHEQUÍN.—¡Vida mía, temí una tragedia! ¡Ya estaba con el revólver en la mano!

DOÑA LORETA.—¡Tú me perderás!

PACHEQUÍN.—¡Si me amas, sígueme!

DOÑA LORETA.—¿No te conmueve el llanto de ese ángel?

PACHEQUÍN.—¡Es fruto de tus entrañas, y no puedo menos de conmoverme!

DOÑA LORETA.—¿Y quieres que por seguirte desgarre mi corazón de madre?

PACHEQUÍN.—Loretita, no es caso de conflicto entre opuestos deberes. Este nudo gordiano[137] lo corto yo con mi

---

136 *Ventalle:* movimiento.

137 *Nudo gordiano:* más que a la historia del nudo que Alejandro Magno deshizo cortándolo, remite al drama *El nudo gordiano* (1878), de Sellés: «Nudo gordiano. / ¿No se suelta? ¡Pues se corta!» (III, 8). Alude a tomar decisiones drásticas

navaja barbera. Tú me sigues y ese ángel nos acompaña, Loreta. Ve por tu hija. ¡Tendrá en mí un padre, como si fuese huérfana!

DOÑA LORETA.—¿Hombre funesto, sabes a lo que te comprometes?

PACHEQUÍN.—¡No me hables más! ¡Madre atormentada, ve por tu hija!

DOÑA LORETA.—¡Seré tu sierva!

PACHEQUÍN.—¡Corre!

DOÑA LORETA.—¡Vuelo!

Jamona[138], *repolluda*[139] *y gachona*[140], *con mucho bullebulle de las faldas, toda meneos, se aleja por el sendero morisco, blanco de luna y fragante de albahaca y claveles.* PACHEQUÍN, *finchado sobre la pata coja, negro y torcido, abre las aspas de los brazos, bajo el nocturno de luceros.*

PACHEQUÍN.—¡San Antonio[141], si no me has dado esposa como es debido, me das una digna compañera!... Te lo agradezco igual, Divino Antonio, y solamente te pido en esta hora salud, y que no me falte trabajo. En adelante tendré que mantener dos bocas más. ¡Son obligaciones de casado! ¡Mírame como tal casado, Divino Antonio! ¡Me hago el cargo de una familia abandonada! ¡Preserva mi vida de malos sucesos, donde se cuentan los acaloramientos de un hombre bárbaro!...

---

[138] *Jamona:* mujer que ha pasado de la juventud, especialmente cuando es gruesa *(DRAE).*

[139] *Repolluda:* dícese de la persona gruesa y chica *(DRAE).*

[140] *Gachona:* insinuante.

[141] *San Antonio:* popularmente es el santo que facilita los noviazgos.

Claro morisco de luna, senderillo perfumado de verbena. Con la moña desnuda en los brazos, sofocada, surge la tarasca. PACHEQUÍN *abre el compás desigual de las zancas y corre a su encuentro.*

PACHEQUÍN.—Yo te descargo del dulce peso.

DOÑA LORETA.—¡Gracias!

Al cambio de brazos, la moña pone los gritos en la luna. El raptor, negro y torcido, escala la tapia. Encaramado, alarga una mano al serpentón[142] *de la tarasca.* DON FRIOLERA, *dando traspiés, irrumpe en el huerto, los pantalones potrosos, el ros sobre una oreja, en la mano un pistolón.*

DON FRIOLERA.—¡Vengaré mi honra! ¡Pelones! ¡Villa de cabrones! ¡Un militar no es un paisano! ¡Pim! ¡Pam! ¡Pum! ¡No me tiembla a mí el pulso! ¡Hecha justicia, me presento a mi Coronel!

Dispara el pistolón, y con un grito los fantoches luneros de la tapia se doblan sobre el otro huerto. DOÑA LORETA *reaparece, los pelos de punta, los brazos levantados.*

DOÑA LORETA.—¡Pantera!

Nuevamente se derrumba. Algunas estrellas se esconden asustadas. En su buharda, como una lechuza, acecha DOÑA TADEA. *Y se aleja con una arenga embarullada el fantoche de Otelo.*

---

[142] *Serpentón:* anota Senabre que es variante de *culebrón,* «mujer entrometida y cargante».

DON FRIOLERA.—¡Vengué mi honra! ¡Pelones! ¡Villa de cabrones! ¡Un militar no es un paisano!

ESCENA ÚLTIMA

Sala baja con rejas: Esterillas de junco: Una mampara verde: Legajos sobre la mesa, y sobre el sillón, con funda, el retrato del Rey niño. EL CORONEL, *Don Pancho Lamela, con las gafas de oro en la punta de la nariz, llora enternecido leyendo el folletín de* La Época[143]. *La Coronela, en corsé y falda bajera, escucha la lectura un poco más consolada. Se abre la mampara. Aparece el Teniente* DON FRIOLERA, *resuena un grito y se cubre el escote con las manos* DOÑA PEPITA *la Coronela.*

EL CORONEL.—¡Insolente!
DOÑA PEPITA.—¡Cierre usted los ojos, Don Friolera!
EL CORONEL.—¡Cúbrete con el periódico, Pepita!
DON FRIOLERA.—¡Hay sangre en mis manos!
DOÑA PEPITA.—¡Cierre usted los ojos, so pelma[144]!

EL CORONEL *aparta el sillón, y sale al centro de la sala luciendo las zapatillas de terciopelo, bordadas por su señora. Abierto el compás de las piernas, y un dedo alzado, se encara con* DON FRIOLERA.

EL CORONEL.—¡Cuádrese usted!
DON FRIOLERA.—¡A la orden, mi Coronel!
EL CORONEL.—¿Quién es usted?

---

143 *La Época:* periódico conservador de gran tirada durante la segunda mitad del siglo XIX.
144 *Pelma:* persona cargante y molesta.

DON FRIOLERA.—Teniente Astete, mi Coronel.

EL CORONEL.—¿Con destino en la Ciudadela?

DON FRIOLERA.—Así es, mi Coronel.

EL CORONEL.—¿Ha sido usted llamado?

DON FRIOLERA.—No, mi Coronel.

EL CORONEL.—¿Qué permiso tiene usted?

DON FRIOLERA.—No tengo permiso, mi Coronel.

EL CORONEL.—¡Pues a su puesto!

DON FRIOLERA.—Tengo, urgentemente, que hablar a vuecencia.

EL CORONEL.—¡Teniente Astete, vuelva usted a su puesto y solicite con arreglo a ordenanza! ¡Y espere usted un arresto!

DON FRIOLERA.—¡Envíeme vuecencia a prisiones, mi Coronel! ¡Vengo a entregarme! ¡Pim! ¡Pam! ¡Pum! ¡He vengado mi honra! ¡La sangre del adulterio ha corrido a raudales! ¡Friolera! ¡Visto el uniforme del Cuerpo de Carabineros!

EL CORONEL.—¡Que usted deshonra con el feo vicio de la borrachera!

DON FRIOLERA.—¡Gotean sangre mis manos!

EL CORONEL.—¡No la veo!

DON FRIOLERA.—¡Es un hablar figurado, Pancho!

EL CORONEL *dirige los ojos a la puerta de escape, donde se asoma la Coronela: Jugando a esconderse, enseña un hombro desnudo, y se encubre el resto del escote con* La Época.

EL CORONEL.—¡Retírate, Pepita!

DOÑA PEPITA.—¿A quién mató usted? ¡Dígalo usted de una vez, pelmazo!

DON FRIOLERA.—¡Maté a mi señora, por adúltera!

DOÑA PEPITA.—¡Qué horror! ¿No tenían ustedes hijos?

DON FRIOLERA.—Una huérfana nos queda. Me la represento ahora abrazada al cadáver, y el corazón me duele. El padre, ya lo ve usted, camino de prisiones militares: La madre, mortal [145], con una bala en la sien.

DOÑA PEPITA.—¿Tú crees esa historia, Pancho?

EL CORONEL.—Empiezo a creerla.

DOÑA PEPITA.—¿No ves la papalina [146] que se gasta?

EL CORONEL.—¡Retírate, Pepita!

DOÑA PEPITA.—¡Espera!

EL CORONEL.—¡Pepita, te retiras o te recatas mejor con el periódico!

DOÑA PEPITA.—Si se ve algo, que lo lleven a la plaza.

EL CORONEL.—¡Retírate!

DOÑA PEPITA.—¡Turco!

DON FRIOLERA.—¡Desde Teniente a General en todos los grados debe morir la esposa que falta a sus deberes!

DOÑA PEPITA.—¡Papanatas!

Arroja el periódico al centro de la sala y desaparece con un remangue, batiendo la puerta. EL CORONEL *tose, se cala las gafas y abre el compás de sus chinelas bordadas, alzando y bajando un dedo.* DON FRIOLERA, *convertido en fantoche matasiete, rígido y cuadrado, la mano en la visera del ros, parece atender con la nariz.*

EL CORONEL.—¿Qué barbaridad ha hecho usted?

DON FRIOLERA.—¡Lavé mi honor!

EL CORONEL.—¿No son absurdos del vino?

DON FRIOLERA.—¡No, mi Coronel!

DOÑA PEPITA.—¿Está usted sin haberlo catado?

DON FRIOLERA.—Bebí después, para olvidar... Vengo a entregarme.

---

[145] *Mortal:* muerta.

[146] *Papalina:* borrachera.

EL CORONEL.—Teniente Astete, si su declaración es verdad, ha procedido usted como un caballero. Excuso decirle que está interesado en salvarle el honor del Cuerpo. ¡Fúmese usted ese habano!

La Coronela irrumpe en la sala, sofocada, con abanico y bata de lazos. Se derrumba en la mecedora. Enseña una liga.

DOÑA PEPITA.—¡Qué drama! ¡No mató a la mujer! ¡Mató a la hija!

DON FRIOLERA.—¡Maté a mi mujer! ¡Mi hija es un ángel!

DOÑA PEPITA.—¡Mató a su hija, Pancho!

EL CORONEL.—¿Ha oído usted, desgraciado?

DON FRIOLERA.—¡Sepúltate, alma, en los infiernos!

EL CORONEL.—Pepita, que le sirvan un vaso de agua.

DON FRIOLERA.—¡Asesinos! ¡Cabrones! ¡Más cabrones que yo! ¡Maté a mi mujer! ¡Mate usted a la suya, mi Coronel! ¡Mátela usted, que también se le pega! ¡Pim! ¡Pam! ¡Pum!

DOÑA PEPITA.—¡Idiota!

EL CORONEL.—¡Teniente Astete, ha perdido usted la cabeza!

DOÑA PEPITA.—¡Pancho, imponle un correctivo!

EL CORONEL.—¡Pepita, la vida de un hijo es algo serio!

DOÑA PEPITA.—¡Qué crimen horrendo!

EL CORONEL.—Teniente Astete, pase usted arrestado al Cuarto de Banderas.

DON FRIOLERA.—¡Me estoy muriendo! ¿Podría pasar al Hospital?

EL CORONEL.—¡Puede usted hacerlo!

DON FRIOLERA.—¡A la orden, mi Coronel!

EL CORONEL.—Indudablemente ha perdido la cabeza. Explícate tú, Pepita: ¿Quién te ha contado ese drama?

DOÑA PEPITA.—¡El asistente!

EPÍLOGO

La plaza del mercado en una ciudad blanca, dando vista a la costa de África. Furias del sol, cabrilleos del mar, velas de ámbar, parejas de barcas pesqueras. El ciego pregona romances en la esquina de un colmado, y las rapadas cabezas de los presos asoman en las rejas de la cárcel, un caserón destartalado que había sido convento de franciscanos antes de Mendizábal. El perrillo del ciego alza la pata al arrimo de una valla decorada con desgarrados carteles, postrer recuerdo de las ferias, cuando vino a llevarse los cuartos la María Guerrero [147].—El Gran Galeoto.—La Pasionaria.—El Nudo Gordiano.—La desequilibrada.

ROMANCE DEL CIEGO:

En San Fernando del Cabo,
perla marina de España,
residía un oficial
con dos cruces pensionadas,

---

147 *María Guerrero:* gran actriz teatral que vivió entre 1868-1928. Las obras que se mencionan formaron parte de su repertorio y corresponden a lo más característico de la llamada Escuela de Echegaray; suyas son *El Gran Galeoto* (1881) y *La desequilibrada* (1903); *El nudo gordiano* (1878), de Eugenio Sellés, y *La Pasionaria* (1883), de Leopoldo Cano.

recompensa a sus servicios
en guarnición y en campaña.
Sin escuchar el consejo
de amigos que le apreciaban,
casó con una coqueta,
piedra imán de su desgracia.
Al cabo de poco tiempo
—el pecado mal se guarda—
un anónimo le advierte
que su esposa le engañaba.
Aquel oficial valiente,
mirando en lenguas su fama,
rasga el papel con las uñas
como una fiera enjaulada,
y echando chispas los ojos,
vesubios [148] de sangre humana,
en la cintura se esconde
un revólver de diez balas.
Esperando la ocasión,
a su esposa festejaba,
disimulando con ella
porque no se recelara.
Al cabo de pocos días
supo que se entrevistaba
en casa de una alcahueta
de solteras y casadas.
Allí dirige los pasos,
la puerta encuentra cerrada,
salta las tapias del huerto,
la vuelta dando a la casa,
y oye pronunciar su nombre

[148] *Vesubios:* volcanes.

entre risas y soflamas.
Sofocando un ronco grito,
propia pantera de Arabia,
en astillas, de los gonces [149],
hace saltar la ventana.
¡Sagrada Virgen María,
la voz tiembla en la garganta
al narrar el espantoso
desenlace de este drama!
Aquel oficial valiente,
su revólver de diez balas,
dispara ciego de ira
creyendo lavar la mancha
de su honor. ¡Ay, no sospecha
que la sangre derramaba
de su hija Manolita,
pues la madre se acompaña
de la niña, por hacer
salida disimulada,
y el cortejo la tenía
al resguardo de la capa!
Cuando el valiente oficial
reconoce su desgracia,
con los ayes de su pecho
estremece la Alpujarra.
A la mujer y al querido
los degüella con un hacha,
las cabezas ruedan juntas,
de los pelos las agarra,
y con ellas se presenta
al general de la plaza.

---

[149] *Gonces:* goznes.

Tiene pena capital
el adulterio en España,
y el general Polavieja[150],
con arreglo a la Ordenanza,
el pecho le condecora
con una cruz pensionada.
En los campos de Melilla[151]
hoy prosigue sus hazañas:
Él solo mató cien moros
en una campal batalla.
Le proclaman nuevo Prim[152]
las cabilas africanas,
y el que fue Don Friolera
en lenguas de la canalla,
oye su nombre sonar
en las lenguas de la Fama.
El Rey le elige ayudante,
la Reina le da una banda,
la Infanta Doña Isabel
un alfiler de corbata,
y dan a luz su retrato
las Revistas Ilustradas.

Tras una reja de la cárcel están asomados DON MANOLITO *y* DON ESTRAFALARIO. *Huelga decir que son huéspedes de la trena, por sospechosos de anarquistas, y haber hecho mal de ojo a un burro en la Alpujarra.*

---

[150] *General Polavieja:* don Camilo García, marqués de Polavieja (1838-1914), fue capitán general de Filipinas y ministro de la Guerra. Deliberado uso anacrónico.

[151] *Campos de Melilla:* alusión a las campañas en Marruecos en 1921.

[152] *Prim:* don Juan Prim (1814-1870), general y estadista, obtuvo importantes cargos públicos y venció en la batalla de Castillejos en la guerra de África.

DON ESTRAFALARIO.—Éste es el contagio, el vil contagio, que baja de la literatura al pueblo.

DON MANOLITO.—De la mala literatura, Don Estrafalario.

DON ESTRAFALARIO.—Toda la literatura es mala.

DON MANOLITO.—No me opongo.

DON ESTRAFALARIO.—¡Aún no hemos salido de los Libros de Caballerías!

DON MANOLITO.—¿Cree usted que no ha servido de nada Don Quijote?

DON ESTRAFALARIO.—Ni Don Quijote ni las guerras coloniales. ¿No le parece a usted ridícula esa literatura, jactanciosa como si hubiese pasado bajo los bigotes del Káiser [153]?

DON MANOLITO.—Indudablemente, en la literatura aparecemos como unos bárbaros sanguinarios. Luego se nos trata, y se ve que somos unos borregos.

DON ESTRAFALARIO.—¡Qué lejos de este vil romancero aquel paso ingenuo que hemos visto en la raya de Portugal! ¡Qué lejos aquel sentido malicioso y popular! ¿Recuerda usted lo que entonces le dije?

DON MANOLITO.—¡Me dijo usted tantas cosas!

DON ESTRAFALARIO.—¡Sólo pueden regenerarnos los muñecos del Compadre Fidel!

DON MANOLITO.—¡Con decoraciones de Orbaneja! ¡Ya me acuerdo!

DON ESTRAFALARIO.—Don Manolito, gástese usted una perra y compre el romance del ciego.

DON MANOLITO.—¿Para qué?

DON ESTRAFALARIO.—¡Infeliz, para quemarlo!

---

[153] *Káiser:* se refiere a Guillermo II, emperador de Alemania, que se vio obligado a abandonar el trono en 1918 al concluir la guerra.

ESPERPENTO
DE LA HIJA DEL CAPITÁN

DRAMATIS PERSONAE

El Golfante del organillo y una Mucama negra mandinga
La Poco-Gusto, el Cosmético y el Tapabocas, pícaros de las afueras
Un Horchatero
La Sinibalda, que atiende por la Sini, y su padre, el Capitán Chuletas de Sargento
Un general glorioso y los cuatro compadres: el Pollo de Cartagena, el banquero Trapisondas, el ex ministro Marchoso y el tonguista Donostiarra
El asistente del Capitán
Un camarero de café
El sastre Penela y el Batuco, acróbatas del código
Un Camastrón, un Quitolis, un Chulapo Acreditado en el tapete verde, un Pollo Babieca y un Repórter, socios de bellas artes
Totó, oficial de húsares, ayudante del general, y otro ayudante
El Brigadier Frontaura y el Coronel Camarasa
Doña Simplicia, dama intelectual
Su Ilustrísima, obispo in partibus
Una beata, un patriota, un profesor de historia
El Monarca
Un lorito de ultramar
Organillos y charangas

ESCENA PRIMERA

Madrid Moderno: En un mirador espioja[1] *el alón verdigualda un loro ultramarino: La siesta: Calle jaulera*[2] *de minúsculos hoteles. Persianas verdes. Enredaderas. Resol en la calle. En yermos solares la barraca de horchata y melones, con el obeso levantino en mangas de camisa.—Un organillo.— Al* GOLFANTE[3] *del manubrio, calzones de odalisca y andares presumidos de botas nuevas, le asoma un bucle fuera de la gorrilla, con estudiado estrágalo*[4], *y sobre el hombro le hace morisquetas*[5] *el pico verderol del pañolito gargantero.—Por la verja de un jardín se conciertacon una negra* MUCAMA[6].

EL LORO.—¡Cubanita canela!

EL GOLFANTE.—Ese amigo me ha dado el primer quién vive. Oírlo y caer en la cuenta de que andaba por aquí el

---

[1] *Espioja:* despioja.

[2] *Jaulera:* derivado de *jaula,* tal vez con el sentido de «cerrada».

[3] *Golfante:* derivación de *golfo.* En la edición de *La Novela Mundial,* «apache», término con que se conocía a los golfos de los barrios bajos por influencia francesa, donde, en París, llegaron a formar verdaderos clanes, que tuvieron a la policía en jaque durante años.

[4] *Estrágalo: Astrágalo,* «cordón en forma de anillo que rodea el fuste de la columna debajo del tambor del capitel». El sentido es, pues, anillo, figura que forma en este caso el bucle del cabello.

[5] *Morisquetas:* burlas.

[6] *Mucama:* americanismo: sirvienta.

Capitán. Después he visto asomar el moño de la Sini. No sé si me habrá reconocido.

LA MUCAMA.—Es mucho el cambio. Si usted no se me descubre, yo no le saco[7]. La niña, sin duda, tendrá más presente su imagen.

EL GOLFANTE.—¡Cómo me la ha pegado! Ésa ha sido cegada por los pápiros[8] del tío ladrón.

LA MUCAMA.—Más es el ruido.

EL GOLFANTE.—Ya sé que no pagáis una cuenta y que tu amo tira el pego[9] en su casa. Otro Huerto del Francés[10] estáis armando. ¡Buena fama os dan en el barrio!

LA MUCAMA.—¡Qué chance[11]! Estamos en un purito centro de comadreo.

EL LORO.—¡Cubanita canela!

EL GOLFANTE.—Ese charlatán es un bando municipal sobre la ventana de la Sini. La andaba buscando loco por esas calles, y aquí estaba esperándome el lorito con su letrero. ¡Impensadamente volvía a ponerse en mi camino la condenada sombra de la Sini! ¡Aquí está mi perdición! Entra y dile que el punto[12] organillero desea obsequiarla con un tango. Que salga, como es de política[13], a darme las gracias y proponer el más de su gusto. Y si no sale será que prefiere oír todo el repertorio. Recomiéndale que no sea tan filarmónica.

---

[7] *Sacar:* reconocer.

[8] *Pápiros:* billetes de banco.

[9] *Tirar el pego:* jugar con trampas, engañar.

[10] *El Huerto del Francés:* se refiere al nombre con que fue conocida una vivienda en Peñaflor (Córdoba) a la que Jean Aldije y José Muñoz Lopera atraían a jugadores, que asesinaban luego para robarles. Entre 1898-1904 cometieron al menos seis crímenes. Fueron ejecutados en la cárcel de Sevilla en 1906.

[11] *Chance:* galicismo: casualidad.

[12] *Punto:* tunante, pícaro.

[13] *Como es de política:* como es de cortesía.

LA MUCAMA.—¡Apártese! Tenemos bucaneros en la costa.

Disimulábase la negra mandinga[14] *regando las macetas, y el pirante*[15] *del organillo batió la* Marcha de Cádiz[16]. *Salía, en traje de paisano,* EL CAPITÁN *Sinibaldo Pérez: Flux*[17] *de alpaca negra, camisa de azulinos almidones, las botas militares un abierto compás de charolados brillos, el bombín sobre la ceja, el manatí*[18] *jugando en los dedos. Dos puntos holgazanes y una golfa andariega que refrescan en la barraca del levantino, hacen su comentario a espaldas del* CAPITÁN. LA POCO-GUSTO, *le dicen a la mozuela, y a los dos pirantes, Pepe* EL COSMÉTICO *y Toño* EL TAPABOCAS.

LA POCO-GUSTO.—¡Qué postinero[19]!
EL COSMÉTICO.—Por algo es Chuletas de Sargento.
EL HORCHATERO.—Esa machada[20] se la cuelgan[21].
EL COSMÉTICO.—¿Que no es verdad, y está sumariado?
EL HORCHATERO.—Las Ordenanzas Militares son muy severas, y los ranchos con criadillas de prisioneros están más penados que entre moros comer tocino. Tocante al Capitán, yo no le creo hombre para darse esa manutención.
EL TAPABOCAS.—¡Que no fuese guateque diario, estamos en ello! Pero él propio se alaba.

---

[14] *Mandinga:* negra procedente del Sudán occidental en sentido estricto, pero que suele usarse sin mucha precisión.
[15] *Pirante:* golfo.
[16] *Marcha de Cádiz:* canción perteneciente a la zarzuela *Cádiz* (1886), que obtuvo gran popularidad.
[17] *Flux:* traje.
[18] *Manatí:* fusta hecha con piel de manatí.
[19] *Postinero:* engreído, que se da importancia.
[20] *Machada:* acción notable supuestamente llevada a cabo por virilidad.
[21] *Colgar:* atribuir.

EL HORCHATERO.—¡Boquerón[22] que es el compadre!

LA POCO-GUSTO.—¿Y el proceso?

EL HORCHATERO.—¡Ché! Por tirar la descargada[23].

EL COSMÉTICO.—A mí no me presenta un mérito tan alto, estando de buen paladar, comer chuletas. ¿Que son de sargento? Como si fueran de cordero. ¡En estando de gusto!

EL TAPABOCAS.—¿Y por qué razón no van a saber buenas las chuletas de sargento mambís?

LA POCO-GUSTO.—¡Se podrán comer, pero buenas!...

EL TAPABOCAS.—Buenas. ¿Por qué no?

EL HORCHATERO.—Con mucho vino, con mucha guindilla, por una apuesta, limpias de grasas, lo magro magro, casi convengo.

EL COSMÉTICO.—Y así habrá sido.

EL HORCHATERO.—¡Ni eso!

EL TAPABOCAS.—Pues se lo han acumulado como un guateque diario y tiene una sumaria[24] a pique de[25] salir expulsado de la Milicia.

EL HORCHATERO.—¡Bien seguro se halla! Para que el proceso duerma, la hija se acuesta con el Gobernador Militar.

LA POCO-GUSTO.—La dormida de la hija por la dormida del expediente.

EL COSMÉTICO.—¡Una baza de órdago a la grande!

EL HORCHATERO.—No llegan las pagas, hay mucho vicio y se cultiva la finca de las mujeres.

---

[22] *Boquerón:* anota Senabre: «derivación de *bocón* —o acaso del andalucismo *boquera—* y que quiere decir "que habla demasiado y jactanciosamente"».

[23] *La descargada:* en el juego del monte, la carta en que se ha puesto menos dinero. *Tirar la descargada:* «hacer trampas» (Senabre).

[24] *Sumaria:* en el procedimiento criminal militar, sumario o actuaciones para preparar un juicio *(DRAE).*

[25] *A pique de:* a punto de.

EL COSMÉTICO.—Quien tiene la suerte de esas fincas. Menda[26] es huérfano.

EL HORCHATERO.—Te casas y pones la parienta al toreo[27].

EL COSMÉTICO.—¿Y si no vale para la lidia?

LA POCO-GUSTO.—Búscala capeada[28]. ¡Mira la Sini, al timoteo[29] con el andoba[30] del organillo!

LA SINIBALDA, *peinador con lazos, falda bajera, moñas en los zapatos, un clavel en el pelo, conversaba por la verja del jardinillo con* EL GOLFANTE *del manubrio.*

LA SINI.—No te hubiera reconocido. Aquí no es sitio para que hablemos.

EL GOLFANTE.—¿Temes comprometerte?

LA SINI.—La mujer en mi caso, con un amigo que nada le niega, está obligada a un miramiento que ni las casadas.

EL GOLFANTE.—¿Que nada te niega? Quiere decirse que lo tienes todo con ese tío cabra[31].

LA SINI.—Todo lo que se tiene con guita[32].

EL GOLFANTE.—¿Que lo pasas al pelo[33]?

LA SINI.—Según se mire. Algo me falta, eso ya puedes comprenderlo. Tú has podido sacarme de la casa de mi padre. ¿Que no tenías modo de vida? Pues atente a las conse-

---

26 *Menda:* yo.

27 *Poner la parienta al toreo:* prostituirla.

28 *Capeada:* continúa con el lenguaje anterior; viene a decir «experimentada».

29 *Timoteo:* según Senabre: «derivación humorística de *timo,* que se forma a partir de *timarse,* que viene a ser sostener un diálogo tácito con los ojos, principalmente entre novios».

30 *Andoba:* gitanismo: individuo.

31 *Cabra:* cabrón.

32 *Guita:* gitanismo: dinero.

33 *Al pelo:* a medida del deseo, felizmente.

cuencias. ¿Lo tienes ahora? Pronta estoy a seguirte. ¡Ya te veo empalmado[34], pero no te lo digo por miedo! ¿Qué traes? ¡Un organillo! Vienes a camelarme con música. ¿Vas a sostenerme con escalas y arpegios? Mírame. No seas loco. ¡Y tienes toda la vitola[35] de un golfante!

EL GOLFANTE.—Tú dirás qué venga a ser sino un golfo, ciego por la mayor golfa, peleado con toda mi casta.

LA SINI.—¡Cuándo asentarás la cabeza! ¿Dejaste los estudios? Pues has hecho mal. ¡Y tienes toda la vitola de un organillero! ¿Qué tiempo llevas dando al manubrio?

EL GOLFANTE.—Tres meses. Desde que llegué.

LA SINI.—¿Has venido siguiéndome?

EL GOLFANTE.—Como te lo prometí.

LA SINI.—Pero siempre pensé que no lo hicieses.

EL GOLFANTE.—Ya lo ves.

LA SINI.—¡Vaya un folletín!

EL GOLFANTE.—Por ahí sacarás todo el mal que me has hecho.

LA SINI.—Te has puesto pálido. ¿De verdad tanto ciegas por mí?

EL GOLFANTE.—¡Para perderme!

LA SINI.—Lo dices muy frío. No hay que hacerte caso. ¿Y qué ventolera te ha entrado de ponerte a organillero?

EL GOLFANTE.—Para el alpiste[36], y buscarte por las calles de Madrid. El lorito en tu ventana ha sido como un letrero.

LA SINI.—¿Y qué intención traes? Empalmado lo estás. ¿Tú has venido con la intención de cortarme la cara?

---

[34] *Empalmado:* Senabre: «con la navaja oculta entre la manga y la palma de la mano, o por extensión, con actitud amenazadora».

[35] *Vitola:* apariencia, aspecto.

[36] *Alpiste:* manutención.

EL GOLFANTE.—Al tío cebón[37] es a quien tengo ganas de cortarle alguna cosa.

LA SINI.—¿Qué mal te hizo? Con éste o con otro había de caer. Estaba para eso.

EL GOLFANTE.—¡El amor que tienes por el lujo!

LA SINI.—Tú nada podías ofrecerme. Pero con todo de no tener nada, de haber sido menos loco, por mi voluntad nunca hubiera dejado de verte. Te quise y te quiero. No seas loco. Apártate ahora.

EL GOLFANTE.—¿Sin más?

LA SINI.—¿Aquí qué más quieres?

EL GOLFANTE.—Dame la mano.

LA SINI.—¡Adiós, y que me recuerdes!

EL GOLFANTE.—¿Vuelvo esta noche?

LA SINI.—No sé.

EL GOLFANTE.—¿Esperas al pachá?

LA SINI.—Pero no se queda.

EL GOLFANTE.—¿Cuál es tu ventana?

LA SINI.—Te pones en aquella reja. Por allí te hablaré... Si puedo.

Huyóse LA SINI, *con bullebulle*[38] *de almidones: Volvía la cabeza, guiñaba la pestaña*[39]*: Sobre la escalinata se detuvo, sujetándose el clavel del pelo, sacó la lengua y se metió al adentro. El gachó del organillo, al arrimo de la verja, se ladea la gorra, estudiando la altura y disposición de las ventanas.*

EL LORO.—¡Cubanita canela!

---

[37] *Cebón:* animal cebado, o con más frecuencia, «cerdo».

[38] *Bullebulle:* movimiento vivo.

[39] *Pestaña:* ojo.

ESCENA SEGUNDA

Lacas chinescas y caracoles marinos, conchas perleras, coquitos labrados, ramas de madrépora y coral, difunden en la sala nostalgias coloniales de islas opulentas: Sobre la consola y por las rinconeras vestidas con tapetillos de primor casero, eran faustos y fábulas del trópico. El loro dormita en su jaula abrigado con una manta vieja. A la mesa camilla le han puesto bragas verdes. Partida timbera. Donillea[40] *el naipe. Corre la pinta*[41] CHULETAS DE SARGENTO. *Hacen la partida seis camastrones*[42]. *Entorchados y calvas, lucios cogotes, lucias manos con tumbagas, humo de vegueros, prestigian el último albur*[43]. EL POLLO DE CARTAGENA, *viejales*[44] *pisaverde*[45], *se santigua con una ficha de nacaradas luces.*

EL POLLO.—¡Apré[46]! Esto me queda.

EL CAPITÁN.—¿Quiere usted cambio?

EL POLLO.—Son cinco mil beatas[47].

EL CAPITÁN.—A tanta devoción no llego. Puedo hacerle un préstamo.

EL POLLO.—Gracias.

---

40 *Donillear:* anota Senabre: forma verbal neológica, acuñada sobre el adjetivo *donillero:* fullero que agasaja y convida a aquellos a quienes quiere inducir a jugar *(DRAE).*

41 *Correr la pinta:* llevar en el juego de la pinta el naipe.

42 *Camastrón:* persona disimulada y doble que espera oportunidad para hacer o dejar de hacer las cosas según le conviene *(DRAE).*

43 *Albur:* en el juego del monte, las dos primeras cartas que saca el banquero *(DRAE).*

44 *Viejales:* derivación de *viejo.*

45 *Pisaverde:* hombre presumido y afectado.

46 *Apré:* sin dinero.

47 *Beatas:* pesetas.

EL CAPITÁN.—¿De dónde es la ficha?

EL POLLO.—De Bellas Artes.

EL CAPITÁN.—Puede usted disponer del asistente, si desea mandar a cambiarla. Si toma un coche, en media hora está de vuelta.

EL POLLO.—Por esta noche me abstengo. Me voy a la última de Apolo [48]. ¡Salud, caballeros!

Vinoso y risueño, con la bragueta desabrochada, levantó su corpulenta estampa el vencedor de Periquito Pérez: Saturnal y panzudo, veterano de toros y juergas, fumador de vegueros, siempre con luces alcohólicas en el campanario, marchoso, verboso, rijoso, abría los brazos el Pachá de LA SINIBALDA.

EL GENERAL.—Pollo, vas a convidarnos.

EL POLLO.—No hay inconveniente.

EL GENERAL.—Chuletas, tira las tres últimas.

EL CAPITÁN.—¡Ha cambiado el corte!

EL GENERAL.—Me es inverosímil [49], Chuletas. Peina ese naipe. ¡Tú te las arreglas siempre para tirar la descargada!

EL CAPITÁN.—¡Mi General, esa broma!

EL GENERAL.—Rectificaré cuando gane.

EL CAPITÁN.—Caballeros, hagan juego.

El vencedor de Periquito Pérez se colgó el espadín, se puso el ros [50] de medio lado, se ajustó la pelliza y recorrió

---

[48] *La última de Apolo:* se refiere a la última función que tenía lugar en este conocido teatro madrileño, que solía comenzar a las doce menos cuarto de la noche.

[49] *Me es inverosímil:* indiferente.

[50] *Ros:* sombrero con visera, que fue introducido como prenda militar por el general Ros de Olano.

la sala marcándose un tango: Bufo y marchoso, saca la lengua, guiña del ojo y mata la bicha[51] *a estilo de negro cubano.* LA SINIBALDA, *por detrás de un cortinillo, asoma los ojos colérica, y descubre la mano con una lezna zapatera, dispuesta a clavarle el nalgario*[52]. *Detuvo el brazo de la enojada* EL POLLO DE CARTAGENA. EL GENERAL, *asornado, vuelve a la mesa de juego, y el viejales pisaverde, en la puerta, templa con arrumacos y sermón los ímpetus de* LA SINI.

EL POLLO.—¡Vamos, niña, que estamos pasando un rato agradable entre amigos! Las diferencias que podáis tener, os las arregláis cuando estéis solos.

LA SINI.—Don Joselito, me aburre un tío tan ganso. ¿Dónde ha visto usted peor pata?

EL POLLO.—¡Niña!

LA SINI.—Si se lo digo en su cochina cara. Y además está convencido de que lo siento. ¿Ha perdido?

EL POLLO.—Ya puedes comprender que no me entretuve siguiendo su juego.

LA SINI.—Ha perdido y se ha consolado como de costumbre.

EL POLLO.—Yo me hubiera consolado mejor contigo.

LA SINI.—Usted, sí, porque es un hombre de gusto y muy galante. ¿Ha perdido?

EL POLLO.—No sé.

LA SINI.—Ha perdido, y se ha puesto una trúpita[53] para consolarse.

---

[51] *Matar la bicha:* según Senabre, «paso de baile consistente en inmovilizar la punta del pie contra el suelo».

[52] *Nalgario: nalgatorio,* conjunto de ambas nalgas.

[53] *Trúpita:* borrachera.

EL POLLO.—Vendría de fuera con ella, y será anterior al proyecto de cometer el crimen.

LA SINI.—¿Qué crimen?

EL POLLO.—Una broma. Se ha consolado de la pérdida antes de la pérdida.

LA SINI.—¿Y a qué ha dicho usted crimen?

EL POLLO.—Un texto del Código Penal. Erudición que uno tiene.

LA SINI.—¡Vaya texto! ¿Y usted se lo sabe por sopas[54] el Código?

EL POLLO.—Como el Credo.

LA SINI.—¿Y dirá usted que se lo sabe?

EL POLLO.—¿El Código?

LA SINI.—El Credo.

EL POLLO.—Para un caso de apuro.

LA SINI.—Parece usted pariente de aquel otro que estando encaminándole preguntaba si eran de confianza los Santos Olios.

EL POLLO.—Ése era mi abuelo.

LA SINI.—Con su permiso, Don José.

EL POLLO.—¡Sini, ten cabeza!

Brillos de cerillas, humo de vegueros. Los camastrones dejan la partida. Las cartas del último albur quedan sobre la mesa con un tuerto visaje. LA MUCAMA *mandinga, delantal rayado, chancletas de charol, lipuda*[55] *sonrisa, penetra en la sala y misteriosa toca la dorada bocamanga del* GENERAL.

---

[54] *Por sopas:* de memoria.
[55] *Lipuda:* de labios gruesos.

LA MUCAMA.—Este papelito que horitita lo lea, Ño[56] General.

EL GENERAL.—Lo leeré cuando me parezca.

LA MUCAMA.—Me ha dicho que horita y que me dé respuesta vucencia[57].

EL GENERAL.—Retírate y no me jorobes. Pollo, hágame usted el favor de quedarse. Le retengo a usted como peón de brega[58].

Se despedían los otros pelmazos. Eran cuatro: Un ricacho donostiarra, un famoso empresario de frontones, un cabezudo ex ministro sagastino[59]*, y un catalán trapisondista, taurófilo y gran escopeta en las partidas de Su Majestad.*

EL TRAPISONDAS.—¿Esa cena para cuándo, Don José?

EL POLLO.—Ustedes dirán.

EL EX MINISTRO.—Creo que no debe aplazarse.

EL TONGUISTA[60].—Cena en puerta, agua en espuerta.

EL POLLO.—Ustedes tienen la palabra.

EL TRAPISONDAS.—Esta noche, en lo de Morán.

EL POLLO.—¿Hace, caballeros?

EL TONGUISTA.—¡Al pelo!

EL EX MINISTRO.—¡Naturaca![61].

EL TRAPISONDAS.—¡Evident!

---

[56] *Ño:* aféresis de *señor.*

[57] *Vivencia:* nueva deformación para caracterizar el habla de la mucama.

[58] *Peón de brega:* Torero subalterno que ayuda al matador durante la lidia *(DRAE).* Aquí, «ayudante».

[59] *Sagastino:* perteneciente al gobierno de don Práxedes Mateo Sagasta (1825-1923), que fue presidente del Consejo de Ministros en 1871 y en 1901.

[60] *Tonguista:* que practica el tongo.

[61] *Naturaca:* naturalmente.

Sale LA SINI. CHULETAS, *recomiéndose, cuenta las fichas y las distribuye por los registros chinescos de la caja. —Pagodas, mandarines, áureos parasoles. —El asistente, en brazado, saca abrigos, bastones, sombreros: Los reparte a tuertas, soñoliento, estúpido, pelado al cero.* CHULETAS DE SARGENTO *cierra la caja de fichas y naipes y, colocándosela bajo el brazo, se mete por una puerta oscura.*

LA SINI.—¿Le sería a usted muy molesto oírme una palabra, General?

EL GENERAL.—Sini, no me hagas una escena. Sé mirada.

LA SINI.—¡Vea usted de quedarse!

EL GENERAL.—Es intolerable esa actitud.

LA SINI.—Don Joselito, si a usted no le importan las vidas ajenas, ahueque.

EL POLLO.—Obedezco a las damas. ¡Que haya paz!

EL POLLO DE CARTAGENA *se tercia la capa a la torera y saluda marchoso en los límites de la puerta.*

EL GENERAL.—Pollo, si quedo con vida, caeré por casa de Morán.

LA SINI.—¡Gorrista[62]!

EL GENERAL.—No me alcanzan tus ofensas.

EL POLLO.—Si hay reconciliación, como espero, llévese usted a la niña.

EL GENERAL.—Sini, ya lo estás oyendo. Échate un abrigo y aplaza la bronca.

LA SINI.—Eso quisieras.

EL POLLO.—Mano izquierda, mi General.

---

[62] *Gorrista:* gorrón.

EL GENERAL.—Ésta quiere verme hacer la jarra[63].

LA SINI.—¡Miserable!

EL POLLO DE CARTAGENA *toma el olivo*[64] *con espantada torera.* EL GENERAL *se cruza de brazos con heroico alarde y ensaya una sonrisa despreciando a* LA SINIBALDA.

EL GENERAL.—Me quedo, pero serás razonable.

LA SINI.—¿Has perdido?

EL GENERAL.—Hasta la palabra.

LA SINI.—Ésa nunca la has tenido.

EL GENERAL.—El uso de la lengua.

LA SINI.—¡Marrano!

EL GENERAL.—Ya sacaste las uñas. Deja que me vaya.

LA SINI.—¿Irte? Toma asiento y pide algo. ¡Irte! Será después de habernos explicado.

EL GENERAL.—Tomo asiento. Y no hables muy alto.

LA SINI.—No será por escrúpulo de que oiga mi padre. Tú y él sois dos canallas. Me habéis perdido.

EL CAPITÁN *entra despacio y avanza con los dientes apretados, la mano en perfil, levantada.*

EL CAPITÁN.—No te consiento juicios sobre la conducta de tu padre.

LA SINI.—¿Cuándo has tenido para mí entrañas de padre? Mira lo que haces. Harta estoy de malos tratos. Si la mano dejas caer, me tiro a rodar. ¡Ya para lo que falta!

EL GENERAL.—Sinibaldo, aquí estás sobrando.

EL CAPITÁN.—Tiene esa víbora mucho veneno.

---

[63] *Hacer la jarra:* pagar.

[64] *Tomar el olivo:* marcharse.

LA SINI.—Las hieles que me has hecho tragar.
EL CAPITÁN.—Vas a escupirlas todas.
LA VOZ DEL POLLO.—¡Socorro!

El eco angustiado de aquel grito paraliza el gesto de las tres figuras, suspende su acción: Quedan aprisonadas en una desgarradura lívida del tiempo, que alarga el instante y lo colma de dramática incertidumbre. LA SINI *rechina los dientes. Se rompe el encanto.* EL CAPITÁN CHULETAS, *con brusca resolución, toma una luz y sale.* EL GENERAL *le sigue con sobresalto taurino. En el marco de la ventana vestida de luna, sobre el fondo estrellado de la noche, aparece* EL GOLFANTE *del organillo.*

EL GOLFANTE.—¡Ya está despachado!
LA SINI.—¡Mal sabes lo que has hecho! Darle pasaporte[65] a Don Joselito.
EL GOLFANTE.—¿Al Pollo?
LA SINI.—¡A ese desgraciado!
EL GOLFANTE.—¡Vaya una sombra negra!
LA SINI.—¡Por obrar ciego! ¡Ya ves lo que sacas! ¡Meterte en presidio cargado con la muerte de un infeliz!
EL GOLFANTE.—¡Ya no tiene remedio!
LA SINI.—¿Y ahora?
EL GOLFANTE.—Tu anuncio... ¡El presidio!
LA SINI.—¿Qué piensas hacer?
EL GOLFANTE.—¡Entregarme!
LA SINI.—¡Poco ánimo es el tuyo!
EL GOLFANTE.—Me ha enfriado el planchazo.
LA SINI.—Pues no te entregues. Espérame. Ahora me voy contigo.

---

65 *Dar pasaporte:* matar.

ESCENA TERCERA

Una puerta abierta: Fondo de jardinillo lunero: El rodar de un coche: El rechinar de una cancela: El glogloteo de un odre que se vierte: Pasos que bajan la escalera. CHULETAS DE SARGENTO *levanta un quinqué y aparece caído de costado Don Joselito.* EL CAPITÁN *inclina la luz sobre el charco de sangre, que extiende por el mosaico catalán una mancha negra. Se ilumina el vestíbulo con rotario*[66] *aleteo de sombras: La cigüeña disecada, la sombrilla japonesa, las mecedoras de bambú. Sobre un plano de pared, diluidos, fugaces resplandores de un cuadro con todas las condecoraciones del* CAPITÁN.*—Placas, medallas, cruces.—Al movimiento de la luz todo se desbarata.* CHULETAS DE SARGENTO *posa el quinqué en el tercer escalón, inclinándose sobre el busto yacente, que vierte la sangre por un tajo profundo quetiene en el cuello.* EL GENERAL, *por detrás de la luz, está suspenso.*

EL CAPITÁN.—No parece que el asesino se haya ensañado mucho. Con el primer viaje[67] ha tenido bastante para enfriar[68] a este amigo desventurado. ¡Y la cartera la tiene encima! Esto ha sido algún odio.

EL GENERAL.—Está intacto. No le falta ni el alfiler de corbata.

EL CAPITÁN.—Pues será que le mataron por una venganza.

EL GENERAL.—Habrá que dar parte.

EL CAPITÁN.—Dar parte trae consigo la explotación del crimen por los periódicos... ¡Y en verano, con censura y

---

[66] *Rotario:* neologismo: giratorio.
[67] *Viaje:* cuchillada.
[68] *Enfriar:* matar.

cerrada la Plazuela de las Cortes!... Mi General, saldríamos todos en solfa[69].

EL GENERAL.—Es una aberración este régimen. ¡La Prensa en todas partes respeta la vida privada, menos en España! ¡La honra de una familia en la pluma de un grajo!

EL CAPITÁN.—Sería lo más atinente desprenderse del fiambre[70] y borrar el rastro.

EL GENERAL.—¿Cómo?

EL CAPITÁN.—Facturándolo.

EL GENERAL.—¡Chuletas, no es ocasión de bromas!

EL CAPITÁN.—Mi General, propongo un expediente muy aceptado en Norteamérica.

EL GENERAL.—¿Y enterrarlo en el jardín?

EL CAPITÁN.—Saldrán todos los vecinos con luces. Para eso mandas imprimir esquelas.

EL GENERAL.—¿Y en el sótano?

EL CAPITÁN.—Mi General, para los gustos del finado nada mejor que tomarle un billete de turismo. Lo inmediato es bajarlo al sótano y lavar la sangre. Vamos a encajonarle.

EL GENERAL.—¿Persistes en la machada de facturarlo?

EL CAPITÁN.—Aquí es un compromiso muy grande para todos, mi General. ¡Para todos!

EL GENERAL.—¡Qué marrajo[71] eres, Chuletas! Vamos a bajar el cadáver al sótano. Ya se verá lo que se hace.

EL CAPITÁN.—El trámite más expedito es facturarlo, a estilo de Norteamérica.

EL GENERAL.—¡Y siempre en deuda con el extranjero!

---

[69] *En solfa:* en ridículo.
[70] *Fiambre:* cadáver.
[71] *Marrajo:* astuto.

EL CAPITÁN.—Si usted prefiere lo nacional, lo nacional es dárselo a la tropa en un rancho extraordinario, como hizo mi antiguo compañero el Capitán Sánchez[72].

LA SINI, *aciclonada*[73], *bajaba la escalera con un lío de ropa atado en cuatro puntas, revolante el velillo trotero.*

LA SINI.—¡Infeliz! ¡Qué escarnio de vida! Me llevo una muda... Mandaré por el baúl... Aún no sé dónde voy. ¡Qué escarnio de vida! Mandaré un día de estos...

EL CAPITÁN.—Con un puntapié vas a subir y meterte en tu alcoba, grandísima maula[74]. Mi General, permítame darle un zarandazo[75] de los pelos. ¡No la acoja! Hay que ser con este ganado muy terne[76]. Si se desmanda, romperle la cuerna.

LA SINI.—¡Qué desvarío! Si mi papá se hace el cargo, puesta la niña en el caso de pedir socorro, alguno iba a enterarse.

EL CAPITÁN.—¡Víbora!

LA SINI *saca un hombro con desprecio y se arrodilla a un lado del muerto por la cabecera, sobre el fondo nocturno de grillos y luciérnagas.* EL GENERAL *y* EL CAPITÁN *cabildean bajo la sombrilla japonesa.*

EL GENERAL.—Sinibaldo, hay que ser prudentes. Si quiere irse, que se vaya. La Dirección de Seguridad se en-

---

[72] *Capitán Sánchez:* como ha quedado explicado en la introducción, el crimen por el que fue condenado y ejecutado el capitán Manuel García Sánchez —la muerte y descuartizamiento de Rodrigo García Jalón— sirvió de base a Valle-Inclán para crear este esperpento. Aquí lo incorpora a la trama como mera alusión.

[73] *Aciclonada:* como un ciclón, es decir, muy agitada.

[74] *Maula:* persona inútil y despreciable.

[75] *Zarandazo:* zarandeo.

[76] *Terne:* obstinado, duro.

cargará de buscarla. Ahora no es posible una escena de nervios. ¡Sinibaldo, prudencia! Una escena de nervios nos perdería. Yo asumo el mando en Jefe.

LA SINI.—¡Don Joselito, he de rezarle mucho por el alma! Me llevo su cartera, que ya no le hace falta. No iban esos marrajos a enterrarle con ella. ¡Qué va! ¡Pues que se remedie la Sini!

EL CAPITÁN.—¡Mi General, no puede consentirse que esa insensata se fugue del domicilio paterno con una cartera de valores!

EL GENERAL.—Mañana se recupera. ¡Sería nuestra ruina una escena de nervios!

LA SINI.—Las alhajitas tampoco las precisa. ¡Qué va! Don Joselito, he de rezarle mucho por el alma. Adiós, Don Joselito. ¡No sé si voy manchada de sangre!

EL CAPITÁN.—Mi General, imposible para el honor de un padre tolerar esta pendonada.

LA SINI.—¡Suéltame, Chuletas de Sargento!

EL CAPITÁN.—Te ahogo, si levantas la voz.

LA SINI.—¡Asesino! ¡Chuletas de Sargento!

EL GENERAL.—¿Sinibaldo, qué haces? ¡Otro crimen!

EL CAPITÁN.—¡Hija malvada!

LA SINI.—¡Hija de Chuletas de Sargento!

EL GENERAL.—Sini, no te desboques. Las paredes son de cartón. Todo se oye fuera. Sini, que el asistente te haga una taza de tila. Tienes afectados los nervios. No faltes a tu padre. Sini, no hagas que me avergüence de quererte.

LA SINI.—¡Abur[77] y divertirse! Si algún guinda[78] se acerca para detenerme, tened seguro que todo lo canto[79]. Voy li-

---

[77] *Abur:* adiós.

[78] *Guinda:* por *guindilla,* guardia.

[79] *Cantar:* confesar.

bre. La Sini se ha fugado al extranjero con Don Joselito. ¡Abur, repito!

EL CAPITÁN.—¡Las hay maulas! ¡Esa correspondencia tienes para tu padre, grandísimo pendón!

ESCENA CUARTA

Una rinconada en el café Universal: Espejos, mesas de mármol, rojos divanes. Mampara clandestina. Parejas amarteladas[80]. *En torno de un velador, rancho y bullanga, sombrerotes y zamarras: Tiazos del ruedo manchego, meleros, cereros, tratantes en granos. Una señora pensionista y un capellán castrense se saludan de mesa a mesa. Un señorito y un pirante*[81] *maricuela se recriminan bajo la mirada comprensiva del* MOZO, *prócer, calvo, gran nariz, noble empaque eclesiástico.* LA SINIBALDA, *con mantón de flecos y rasgados andares, penetra en el humo, entre alegres y salaces requiebros de la parroquia. Se acoge al rincón más oscuro y llama al* MOZO *con palmas.*

LA SINI.—¡Café!

EL MOZO.—¿Solo?

LA SINI.—Con gotas.

EL MOZO.—Si usted quiere cambiar de mesa, me queda otra libre en el turno. Aquí, con la corriente de la puerta, estará usted mal a gusto.

LA SINI.—¡Qué va! Con el calorazo que hace, la corriente se agradece.

---

[80] *Amarteladas:* atortoladas.

[81] *Pirante:* golfo.

EL MOZO.—Pues hay quien manda parar el ventilador. ¡Vaaa!

Llamaban de una peña marchosa.—Toreros, concejales, chamelistas [82] *y pelmas.—* EL MOZO *se acercó con majestad eclesiástica y estuvo algunos instantes atento a las chuscadas de los flamencos. Siempre entonado y macareno* [83], *luego de limpiar el mármol, se salió del corro para poner el servicio de café en la mesa de* LA SINI.

EL MOZO.—Le ha caído usted en gracia al Manene. Me ha llamado porque disputaban sobre quién usted sea. Les ha caído usted en gracia, y la quieren sacar por un retrato que enseñó en la mesa un parroquiano. ¿No será usted la misma?

LA SINI.—No, señor. Yo soy muy fea para retratarme. ¿Pero cuándo van a dejar de mirarme esos pelmazos?

EL MOZO.—Están de broma.

LA SINI.—¡Como si en su vida hubieran visto una mujer!

EL MOZO.—¡Qué no estará usted acostumbrada a que la miren!

LA SINI.—¡Asquerosos! Me parece que van a reírse de su mamasita.

EL MOZO.—No es para que usted se incomode. Son gente alegre pero que no falta. Están en que usted es la del retrato. ¡Verá usted qué jarro de agua fría cuando los desengañe el Pollo de Cartagena!

LA SINI.—¿Es el parroquiano?

EL MOZO.—Contada la tarde que falta.

---

[82] *Chamelista:* jugador de chamelo, variedad de juego del dominó.
[83] *Macareno:* achulapado.

LA SINI.—A ver si asoma y concluye el choteo de esos puntos. Estoy esperando a un amigo que tiene la sangre muy caliente.

EL MOZO.—No habrá caso. Verá usted qué ducha cuando llegue el Pollo...

LA SINI.—¿Y si ese sujeto hace novillos?

EL MOZO.—Combina [84] de mucho pote [85] había de tener para faltar esta tarde. ¡Raro que siendo usted una hembra tan de buten, no la haya seguido alguna vez por esas calles!

LA SINI.—¿Y sacado la fotografía? El punto ése, verá usted que por darse importancia, esta tarde no viene.

EL MOZO.—Aún no es su hora.

LA SINI.—Me gustaría conocerle.

EL MOZO.—Pues fijamente hoy no falta. Casual que al irse anoche mandaba al botones a cambiarle una ficha de cinco mil beatas en la caja del Círculo. Fue motivado que viendo el atortolo del chico, que es novato, mudase de idea, y me pidió sesenta duros, cuyamente me prestó un parroquiano. ¿Qué mozo tiene hoy sesenta duros? ¡Eso otros tiempos!

Entran el andoba del organillo y un vejete muy pulcro, vestido de negro: Afeminados ademanes pedagógicos, una afectada condescendencia de dómine escolástico: El peluquín, los anteojos, el pañuelo que lleva a la garganta y le oculta el blanco de la camisa como un alzacuello, le inflingen un carácter santurrón y sospechoso de mandadero de monjas: Le dicen EL SASTRE PENELA. *En voz baja conversan con* LA SINI. EL GOLFANTE *le muestra una fotografía entre cínico y amurriado* [86].

---

[84] *Combina:* apócope de combinación.

[85] *Pote:* importancia.

[86] *Amurriado:* formado sobre *murria,* triste.

EL GOLFANTE.—El retrato de un pingo [87] en camisa. ¡Mira si te reconoces! En la cartera del interfecto ha sido exhumado.

LA SINI.—¡Se lo ha dado el canalla, sinvergüenza!

EL GOLFANTE.—Trabajaba el endoso [88].

LA SINI.—Anduvo un mes encaprichado por sacarme esa fotografía. ¡El aprecio que hizo el asqueroso! Entre unos y otros me habéis puesto en el pie de perderme. ¡Ya nada se me da! Hoy contigo... Mañana se acabó el conquis, pues a ganarlo para los dos con mi cuerpo. ¿Cómo estaba de parné la cartera?

EL GOLFANTE.—¡Limpia! Este amigo me ha dado una ayuda muy superior para desmontar la pedrería del alfiler y los solitarios. Como que el hombre se maneja sin herramientas. ¡Es un águila! En nueve mil melopeas [89] pignoramos [90] el lote, en la calle de la Montera. Por cierto que voy a quemar la papeleta.

EL SASTRE.—¡Aquí, no! ¡Prudencia! Pasa al evacuatorio.

EL GOLFANTE.—En la cartera había documentos que en unas buenas manos son sacadineros. Dos pagarés de veinte mil pesetas con la firma del Pachá Bum-Bum. Una carta del propio invicto sujeto solicitando demoras, y una ficha de juego.

LA SINI.—De Bellas Artes. ¡Cinco mil del alma! Dámela, que hay que cobrarla, y a no tardar.

EL GOLFANTE.—¿Cómo se cobra?

LA SINI.—Presentándose en caja.

EL GOLFANTE.—¡Es un paso comprometido!

---

[87] *Pingo:* mujer despreciable.
[88] *Endoso:* cesión a favor de otro de un documento.
[89] *Melopea:* peseta.
[90] *Pignorar:* empeñar.

LA SINI.—¡Cinco mil beatas no son para dejarlas en el aire!

EL GOLFANTE.—¡Conforme! Los documentos, estoy a vueltas... Hacerlos desaparecer es quemar un cheque al portador.

EL SASTRE.—Hay que operar con mucho quinqué[91]. Los presentas tú al cobro, y te ponen a la sombra: Se requieren otras circunstancias. Los que actúan en esos negocios son sujetos con muy buenas relaciones, que visitan los Ministerios. ¡El Batuco, que estos tiempos ha dado los mejores golpes, tiene padrinos hasta en la Gran Peña! Una masonería como la de los sarasas. El Batuco ha puesto a modo de una Agencia: ¡Una oficina en toda regla! Si queréis entenderos con él, fijamente está en los billares.

EL GOLFANTE.—¿No será venderse?

EL SASTRE.—Vosotros lo pensáis y aluego resolvéis. El Batuco vive de esas operaciones y su crédito está en portarse con decencia. Conoce como nadie el compromiso de ciertos negocios y puede daros una luz. Hoy todo lo hace la organización. ¡Vierais la oficina, montada con teléfono y máquina de escribir!... ¡Propiamente una Agencia!

EL GOLFANTE.—¡Mira, Penela, que la mucha gente es buena en las procesiones!

EL SASTRE.—Para sacarle lo suyo a esos papeles, hace falta el organismo de una Agencia. ¡Son otros horizontes! ¡Ahí tienes las contratas del ramo de Guerra! Para ti, cero, ni pensar en ello. ¡Para un organismo, ponerse las botas! Es su función propia... Ahora, si vosotros tenéis otro pensamiento...

LA SINI.—¡Tan incentiva pintura los sentidos me enajena[92]! ¡Suba usted por el Batuco!

---

[91] *Con mucho quinqué:* con mucha vista.

[92] *Los sentidos me enajena:* Senabre recuerda que se trata de un recuerdo paródico de las palabras de don Juan a Brígida en el *Don Juan Tenorio* (II, 9), de Zorrilla: «Tan incentiva pintura / los sentidos me enajena, / y el alma ardiente me llena / de su insensata pasión».

EL GOLFANTE.—¿Se puede uno confiar?

EL SASTRE.—Hombre, yo siempre le he visto proceder como un caballero, y el asunto vuestro es un caso corriente.

EL GOLFANTE.—Pues a no tardar.

EL SASTRE.—Míralo, que baja de los billares. Don Arsenio, media palabra.

EL BATUCO *accede, saludando con el puro: Chato, renegrido, brisas de perfumería y anillos de jugador, caña de nudos, bombín, botas amarillas con primores: Un jastialote*[93] *tosco, con hechura de picador.*

EL BATUCO.—¿Qué cuenta el amigo Penela?

EL SASTRE.—Estaba con una pata en el aire para remontarme en su busca y captura. Me había comprometido a relacionarle con esta interesante pareja. Tienen algunos documentos que desean negociar: Cartas y pagarés de un personaje. ¿Qué dice usted?

EL BATUCO.—Acaso se pudiera intentar alguna travesura. ¡No sé! Sin conocer el asunto es imposible aventurar una opinión... Hay que estudiarlo. ¿Quién es el personaje?

EL SASTRE.—Un heroico Príncipe de la Milicia.

EL BATUCO.—¿Con mando?

EL SASTRE.—Con mando.

EL BATUCO.—¿Quién negocia los papeles?

EL SASTRE.—Esta joven e inexperta pareja. Paseando, se han encontrado una cartera.

EL BATUCO.—El propietario habrá dado parte a la Poli. Esos documentos de crédito en nuestras manos son papeles mojados.

---

93 *Jastialote:* aumentativo de *hastial,* hombre tosco y grosero.

LA SINI.—El propietario no ha dado parte.

EL BATUCO.—¿Seguro?

LA SINI.—Tomó el tren para un viaje que será largo, y a última hora le faltó el tiempo hasta para las despedidas.

EL BATUCO.—Entendido. ¿Pueden verse los documentos?

EL GOLFANTE.—¡Naturaca!

EL GOLFANTE *saca del pecho un legajillo sujeto con una goma.* EL BATUCO, *disimulado, hace el ojeo: Se detiene sobre una carta, silabea reticente.*

EL BATUCO.—«La rubiales se alegrará de verle, Chuletas de Sargento cantará guajiras y tirará el pego».

LA SINI.—El viaje del andoba saltó impensadamente.

EL BATUCO.—¿Muy largo, ha dicho usted?

LA SINI.—Para una temporada.

EL BATUCO.—¡Hablemos claro! ¡Esta carta es un lazo, una encerrona manifiesta! ¿Quién ha taladrado el billete al viajero? ¿No lo saben ustedes?

LA SINI.—Le dio un aire al quinqué y se apagó para no verlo.

EL BATUCO.—¡Como siempre! Y algún vivales se adelantó a tomar la cartera. ¿He dado en el clavo?

LA SINI.—Ve usted más que un astrónomo. Usted debe predecir el tiempo.

EL BATUCO.—Me alegro de no haberme equivocado. Es caso para estudiarse y meditarse... De gran mamporí[94] si se sabe encauzar. Yo trabajo en una esfera más modesta. El negocio que ustedes traen es de los de Prensa y Parlamento. Yo soy un maleta, pero tengo buenas relaciones. Don Alfredo Toledano, el Director de *El Constitucional,* me aprecia

---

[94] *Mamporí:* del caló, significa propiamente cola.

y puedo hablarle. Verá el asunto, que es un águila, y de los primeros espadas. Un hombre tan travieso puede amenazar con una campaña. En manos de un hombre de pluma estos papeles son un río de oro, en las nuestras un compromiso. Ése es mi dictamen. Con la amenaza de una campaña de información periodística se puede sacar buena tajada. ¡Don Alfredo chanela[95] como nadie la marcha de estos negocios! Cuando la repatriación, formó una Sociedad. ¡Un organismo de lo más genial, para la explotación de altos empleados! Si ustedes están conformes, me pondré al habla con el maestro.

LA SINI.—¡A no dejarlo!

EL GOLFANTE.—¿Dónde nos avistamos?

EL BATUCO.—Aquí. ¿Hace?

EL SASTRE.—Entiendo que aquí ya nos hemos lucido bastante. En todas las circunstancias de la vida conviene andarse con quinqué...

EL BATUCO.—Pues pasen ustedes por la Agencia. Pez, 31.

LA SINI.—¡A ver si hacemos changa[96]!

EL BATUCO.—¡Seguramente! Huyo veloz como la corza herida.

EL SASTRE.—¡Orégano sea!

EL GOLFANTE.—Sinibalda.

LA SINI.—¿Qué se ofrece?

EL GOLFANTE.—¿Y de la ficha, qué?

LA SINI.—¡Cobrarla!

EL GOLFANTE.—¿Estás en ello?

LA SINI.—¡Naturaca!

EL GOLFANTE.—En tus manos la dejo. Yo me najo[97] para cambiar de vitola en *El Águila.*

---

[95] *Chanelar:* gitanismo: entender.

[96] *Changa:* trato.

[97] *Najarse:* gitanismo: marcharse.

ESCENA QUINTA

Un mirador en el Círculo de Bellas Artes. Tumbados en mecedoras, luciendo los calcetines, fuman y bostezan tres señores socios: Un viejales CAMASTRÓN, *un goma*[98] QUITOLIS[99] *y* EL CHULAPO *ayudante en el tapete verde.—Se oye la gresca del billar, el restallo*[100] *de los tacos, las súbitas aclamaciones. El viejales* CAMASTRÓN, *con los lentes de oro en la punta de la nariz, repasa los periódicos. Filo de la acera encienden sus faroles los simones*[101]. *Pasa la calle el campaneo de los tranvías y el alarido de los pregones.*

PREGONES.—*¡Constitucional! ¡Constitucional! ¡Constitucional! ¡Clamor de la Noche! ¡Corres! ¡Heraldo! ¡El Constitucional,* con los misterios de Madrid Moderno!

EL CAMASTRÓN.—¡Cerrojazo de Cortes, crimen en puerta! ¡Señores, qué manera de hinchar el perro!

EL QUITOLIS.—¿Cree usted una fantasía la información de *El Constitucional?*

EL CAMASTRÓN.—Completamente. ¡La serpiente de mar que se almuerza a un bañista todos los veranos! ¡Las orgías de Madrid Moderno! ¿Ustedes creen en esas saturnales con surtido de rubias y morenas?

EL CHULAPO.—No las llamemos saturnales, llamémoslas juergas. Ese antro de locura será alguna Villa-Laura o Villa-Ernestina.

---

[98] *Goma:* gomoso.

[99] *Quitolis:* propiamente, robo; aquí, como adjetivo, valdría como ladrón.

[100] *Restallo:* ruido, sonido.

[101] *Simón:* coche de alquiler.

EL CAMASTRÓN.—¿Y ese personaje?

EL CHULAPO.—Cualquiera. Uno de tantos beneméritos carcamales que le paga a la querida un hotel a plazos.

EL QUITOLIS.—La información alude claramente a una ilustre figura, que ejerció altos mandos en Ultramar.

EL CHULAPO.—¡Ultramar! Toda la baraja de Generales.

EL QUITOLIS.—No lo será, pero quien tiene un apaño en Madrid Moderno...

EL CAMASTRÓN.—¿Con una rubia? Es indispensable el agua oxigenada. Vea usted los epígrafes: «La rubia opulenta». ¿Corresponden las señas?

EL QUITOLIS.—Sí, señor, corresponden.

EL CAMASTRÓN.—Pues ya sólo falta el nombre del tío cachondo para que decretemos su fusilamiento.

EL QUITOLIS.—La alusión del periódico es diáfana.

EL CAMASTRÓN.—¡Seré yo ciego!

EL CHULAPO.—Yo creo que todos menos usted la hemos entendido.

EL CAMASTRÓN.—Son ustedes unos linces.

EL CHULAPO.—Y usted un camándulas [102]. Usted sabe más de lo que dice *El Constitucional.*

EL CAMASTRÓN.—Yo no sé nada. Oigo verdaderas aberraciones y me abstengo de darles crédito.

EL CHULAPO.—Sin darles crédito y como tales hablillas, usted no está tan en la higuera. Usted guarda un notición estupendo. ¡Tiemble usted que se lo pueden escacharrar! Se le ha visto en muy buena compañía. ¡Una rubia opulenta!

EL CAMASTRÓN.—Rubias opulentas hay muchas. La que yo saludé aquí esta tarde, sin duda lo es.

EL CHULAPO.—Parece que a esa gachí le rinde las armas un invicto Marte.

---

[102] *Camándulas:* hipócrita.

EL CAMASTRÓN.—¡Es usted arbitrario!

EL CHULAPO.—¡La chachipé![103].

EL CAMASTRÓN.—Y aun cuando así sea. ¿Qué consecuencias quiere usted deducir?

EL CHULAPO.—Ninguna. Señalar coincidencias.

EL CAMASTRÓN.—Muy malévolamente. Otros muchos están en el caso de Agustín Miranda. Un solterón con una querida rubia. ¡Van ustedes demasiado lejos!

Se acerca un BABIECA[104] *fúnebre, alto, macilento: La nuez afirmativa, desnuda, impúdicamente despepitada, incrusta un movimiento de émbolo entre los foques del cuello: El lazo de la chalina, vejado, deshilachado, se abolla con murria de filósofo estoico, a lo largo de la pechera: La calva aparatosa con orla de melenas, las manos flacas, los dedos largos de organista, razonan su expresión anómala y como deformada, de músico fugado de una orquesta. Toda la figura diluye una melancolía de vals, chafada por el humo de los cafés, el roce de los divanes, las deudas con el mozo, las discusiones interminables.*

EL BABIECA.—¡La gran noticia!

EL CHULAPO.—¡Ya se la escacharraron a Don Paco! No hay secreto. ¡Ya se la escacharraron!

EL BABIECA.—¿Han leído ustedes la información de *El Constitucional?* ¿Saben ustedes cuáles son los nombres verdaderos?

EL CHULAPO.—No es difícil ponerlos.

EL BABIECA.—¿Saben ustedes que la rubia estuvo aquí esta tarde?

---

[103] *La chachipé:* gitanismo: la verdad.

[104] *Babieca:* bobo.

EL CHULAPO.—Ya lo sabemos.

EL BABIECA.—¿Y que cobró en la caja una ficha de cinco mil beatas?

EL QUITOLIS.—¿Pago de servicios? Yo no estaba tan enterado. ¡Cinco mil del ala!...

EL BABIECA.—Hay otra versión más truculenta.

EL CHULAPO.—¡Ole!

EL BABIECA.—¡Que le dieron pasaporte al Pollo de Cartagena!

EL CHULAPO.—¿Don Joselito? ¡Si acabo de verle en los billares!

EL BABIECA.—Imposible. Nadie le ha visto desde ayer tarde.

EL CHULAPO.—¿Está usted seguro? ¿A quién, entonces, he saludado yo en los billares?

EL BABIECA.—Don Joselito llevaba precisamente una ficha de cinco mil pesetas. La única que faltaba al hacer el recuento.

EL CHULAPO.—¿Es la que cobró la rubia?

EL BABIECA.—Indudablemente.

EL CAMASTRÓN.—¡Don Joselito estará con una trúpita!

EL QUITOLIS.—Eso no se me había ocurrido.

EL CAMASTRÓN.—*El Constitucional* le había sugestionado a usted la idea del crimen.

EL QUITOLIS.—¡A ver si resulta todo ello una plancha periodística!

EL CAMASTRÓN.—Verán ustedes cómo nadie exige responsabilidades.

Entra un chisgarabís: Frégoli[105]*, monóculo, abrigo al brazo, fuma afectadamente en pipa: Es meritorio en la re-*

---

[105] *Frégoli:* especie de sombrero, que debe su nombre al actor del mismo nombre.

dacción de El Diario Universal: *El Conde de Romanones, para premiar sus buenos oficios, le ha conseguido una plaza de ama de leche en la Inclusa.*

EL REPÓRTER.—¡La gran bomba! Voy a telefonear a mi periódico. Se ha verificado un duelo en condiciones muy graves entre el General Miranda y Don Joselito Benegas.

EL CHULAPO.—¿Por la rubia?

EL REPÓRTER.—Eso se cuenta.

EL CAMASTRÓN.—¿Usted nos dirá quién es el muerto? ¿Porque, seguramente, habrá un muerto? ¡Acaso dos!

EL REPÓRTER.—¡No se atufe usted conmigo! Soy eco opaco de un rumor.

EL CAMASTRÓN.—Acabe usted.

EL REPÓRTER.—En la timba decían algunos que Don Joselito estaba agonizando en un hotel de Vicálvaro.

EL CAMASTRÓN.—Ésos ya quieren llevarse el suceso al distrito de Canillejas. ¡Señores, no hay derecho! ¡Formemos la liga Pro Madrid Moderno! Afirmemos el folletín del hombre descuartizado y la rubia opulenta. ¡Ese duelo es una comedia casera! No admitamos esa ñoñez. El descuartizado y la rubia se nos hacen indispensables para pasar el verano.

EL CHULAPO.—Bachiller, ¿qué dicen en teléfonos de la información de *El Constitucional?*

EL REPÓRTER.—Para empezar, demasiado lanzada... De no resultar un éxito periodístico, pueden fácilmente tirarse una plancha... Sin embargo, algunos compañeros que han interrogado a los vecinos del hotel obtuvieron datos muy interesantes. Un vigilante de consumos asegura haber visto a la rubia, que escapaba con un gatera[106]. Y son va-

---

106 *Gatera:* ratero, tunante.

rios los vecinos que afirman haber oído voces pidiendo socorro.

EL CAMASTRÓN.—¿Pero no sostenía a la rubia un Marte Ultramarino? Veo mucha laguna.

EL QUITOLIS.—Indudablemente.

EL CHULAPO.—¿Y se cree que haya habido encerrona?

EL REPÓRTER.—Me abstengo de opinar... La maledicencia señala a un invicto Marte. Todo el barrio coincide en afirmarlo.

EL QUITOLIS.—Allí habrá caído como una bomba la información de *El Constitucional.*

EL REPÓRTER.—Allí saben mucho más de lo que cuenta el periódico.

EL CAMASTRÓN.—¡El hombre descuartizado! ¡Se nos presenta un gran verano!

Irrumpe rodante y estruendosa la bola del mingo, y dos jugadores en mangas de camisa aparecen blandiendo los tacos: Vociferan, se increpan. Los pregones callejeros llegan en ráfagas.

PREGONES.—*¡El Constitucional! ¡Constitucional! ¡Constitucional! ¡Clamor de la Noche! ¡Corres! ¡Heraldo! ¡El Constitucional,* con los misterios de Madrid Moderno!

ESCENA SEXTA

Un salón, con grandes cortinajes de terciopelo rojo, moldurones y doradas rimbombancias. Lujo oficial con cargo al presupuesto. Sobre una mesilla portátil, la botella de whisky, *el sifón y dos copas. El Vencedor de Periquito Pé-*

rez, a medios pelos[107]*, en mangas de camisa, con pantalón de uniforme, fuma tumbado en una mecedora, y alterna algún requerimiento a la copa. Detrás, el asistente, inmóvil, sostiene por los hombros la guerrera de Su Excelencia. Asoma* EL CAPITÁN CHULETAS DE SARGENTO.

EL CAPITÁN.—¿Hay permiso, mi General?

EL GENERAL.—Adelante.

EL CAPITÁN.—¿Ha leído usted *El Constitucional* de esta noche? ¡Una infamia!

EL GENERAL.—Un chantaje.

EL CAPITÁN.—Si usted me autoriza, yo breo[108] de una paliza al Director.

EL GENERAL.—Sería aumentar el escándalo.

EL CAPITÁN.—¿Y qué se hace?

EL GENERAL.—Arrojarle un mendrugo. En estos casos no puede hacerse otra cosa... Las leyes nos dejan indefensos ante los ataques de esos grajos inadaptados. Necesitamos un diplomático y usted no lo es. ¡Chuletas, estoy convencido de que vamos al caos! Esta intromisión de la gacetilla en el privado de nuestros hogares es intolerable.

EL CAPITÁN.—¡La protesta viva del honor militar se deja oír en todas partes!

EL GENERAL.—Sinibaldo, saldremos al paso de esta acción deletérea. Las Cámaras y la Prensa son los dos focos de donde parte toda la insubordinación que aqueja, engañándole, al pueblo español. Siempre he sido enemigo de que los organismos armados actúen en política, sin embargo, en esta ocasión me siento impulsado a cambiar de

---

[107] *A medios pelos:* medio embriagado.

[108] *Brear:* maltratar.

propósito. Necesitamos un diplomático y usted no lo es. Toque usted el timbre. ¿Y el fiambre?

EL CAPITÁN.—Encajonado, pero sin decidirme a facturarlo.

Un oficial con divisas de AYUDANTE *asomó rompiendo cortinas, y quedó al canto, las acharoladas botas en compás de cuarenta y cinco grados.*

EL AYUDANTE.—¡A la orden, mi General!

EL GENERAL.—A Totó necesitaba. ¿Qué hace Totó?

EL AYUDANTE.—Tomando café.

EL GENERAL.—Dígale usted que se digne molestarse.

EL AYUDANTE.—¿Eso no más, mi General?

EL GENERAL.—Eso no más. Póngase usted al teléfono y pida comunicación con el Cuartel de San Gil. Que pase un momento a conferenciar conmigo el Coronel. Quedo esperando a Totó. Puede usted retirarse.

EL AYUDANTE.—¡A la orden, mi General!

EL CAPITÁN.—¡El fiambre en el sótano es un compromiso, mi General!

EL GENERAL.—¡Y gordo!

EL CAPITÁN.—¡Mi General, hay que decidirse, y montar a caballo!

EL GENERAL.—Redactaré un manifiesto al país. ¡Me sacrificaré una vez más por la Patria, por la Religión y por la Monarquía! Las figuras más ilustres del generalato y los jefes con mando de tropas, celebramos recientemente una asamblea... Faltó mi aquiescencia: ¡Con ella ya se hubiera dado el golpe!

EL CAPITÁN.—El golpe sólo puede darlo usted.

EL GENERAL.—Naturalmente, yo soy el único que inspira confianza en las altas esferas. Allí saben que puedo ser un viva la Virgen[109], pero que soy un patriota y que sólo me mueve el amor a las Instituciones. Eso mismo de que soy un viva la Virgen prueba que no me guía la ambición, sino el amor a España. Yo sé que esa frase ha sido pronunciada por una Augusta Persona. ¡Un viva la Virgen, señora, va a salvar el Trono de San Fernando!

EL CAPITÁN.—Mi General, usted, si se decide y lo hace, tendrá estatuas en cada plaza.

EL GENERAL.—¡Me decido, Chuletas! ¡Estoy decidido! Pero no quiero perturbar la vida normal del país con una algarada revolucionaria. No montaré a caballo. Nada de pronunciamientos con sargentos que ascienden a capitanes. Una acción consciente y orgánica de los cuadros de Jefes. Que actúen los núcleos profesionales de la Milicia. ¡Hoy no puede contarse con el soldado ni con el pueblo!

EL CAPITÁN.—¡El soldado y el pueblo están anarquizados!

TOTÓ *aparece en la puerta: Rubio oralino*[110], *pecoso, menudo: Un dije escarlata con el uniforme de los Húsares de Pavía.*

TOTÓ.—¡A la orden, mi General!

EL GENERAL.—Totó, vas a lucirte en una comisión. Ponte al teléfono y pide comunicación con el Director de *El Constitucional.* ¿Estás enterado del derrote[111] que me tiran?

TOTÓ.—¡Y no me explico lo que van buscando!... Si no es una paliza...

---

[109] *Un viva la Virgen:* persona alegre y poco juiciosa.

[110] *Oralino:* para Senabre se trata probablemente de una derivación caprichosa: «rubio, del color del oro».

[111] *Derrote:* Cornada que da el toro levantando la cabeza con un cambio brusco de dirección *(DRAE).*

EL GENERAL.—Dinero.

TOTÓ.—Pero usted los llevará a los Tribunales. Un proceso por difamación.

EL GENERAL.—¿Un proceso ahora, cuando medito la salvación de España? En estos momentos me debo por entero a la Patria. Tengo un deber religioso que cumplir. ¡La salud pública reclama un Directorio Militar! Mi vida futura está en ese naipe. Hay que acallar esa campaña insidiosa. Ponte al habla con el Director de *El Constitucional.* Invítale a que conferencie conmigo.

TOTÓ.—El Brigadier Frontaura espera que usted le reciba, mi General.

EL GENERAL.—Que pase.

TOTÓ.—Mi Brigadier, puede usted pasar.

EL BRIGADIER.—¡He leído *El Constitucional!* ¡Supongo que necesitas padrinos para esa cucaracha!

EL GENERAL.—Fede, yo no puedo batirme con un guiñapo. ¿Ladran por un mendrugo? ¡Se lo tiro!

EL BRIGADIER.—¡Eres olímpico!

EL GENERAL.—Aprovecho la ocasión para decirte que he renunciado mi empleo de pararrayos del actual Gobierno.

EL BRIGADIER.—Algo sabía.

EL GENERAL.—Pues eres el primero a quien comunico esta resolución.

EL BRIGADIER.—Los acontecimientos están en el ambiente.

EL GENERAL.—Si ha de salvarse el país, si no hemos de ser una colonia extranjera, es fatal que tome las riendas el Ejército.

EL BRIGADIER.—No podías sustraerte. Me parece que más de una vez hemos discutido tu apoyo al actual Gobierno.

EL GENERAL.—Pero yo no quiero dar el espectáculo de un pronunciamiento isabelino.

EL AYUDANTE *asoma de nuevo entre cortinas, la mano levantada a los márgenes de la boca, las botas en ángulo.*

EL AYUDANTE.—Una Comisión de Jefes y Oficiales desea conferenciar con vuecencia.

EL GENERAL.—¿Ha dicho usted una Comisión de Jefes y Oficiales? ¿Quién la preside?

EL AYUDANTE.—El Coronel Camarasa.

EL GENERAL.—¿Por qué Camarasa?

EL AYUDANTE.—Acaso como más antiguo.

EL GENERAL.—¿Viene sobre el pleito de recompensas?

EL AYUDANTE.—Seguramente, no. Paco Prendes, a medias palabras, me dijo que la idea surgió al leer la información de *El Constitucional.* Se pensó en un desfile de Jefes y Oficiales. Luego se desistió, acordándose que sólo viniese una representación.

EL GENERAL.—Hágalos usted pasar. Me conmueve profundamente este rasgo de la familia militar. ¡Mientras la honra de cada uno sea la honra de todos, seremos fuertes!

EL GENERAL *se abrochaba la guerrera, se ajustaba el fajín, se miraba las uñas y la punta brillante de las botas.* EL AYUDANTE, *barbilindo, cuadrado, la mano en la sien, se incrustaba en un quicio de la puerta, dejando pasar a la Comisión.* EL CORONEL CAMARASA, *que venía al frente, era pequeño, bizco, con un gesto avisado y chato de faldero con lentes: Se le caían a cada momento.*

EL CORONEL CAMARASA.—Mi General, la familia militar ha visto con dolor, pero sin asombro, removerse la sentina [112]

---

[112] *Sentina:* cualquier lugar donde hay mucho vicio o corrupción.

de víboras y asestar su veneno sobre la honra inmaculada de Su Excelencia. Se quiere distraer al país con campañas de escándalo. Mi General, la familia militar llora con viriles lágrimas de fuego la mengua de la Patria. Un Príncipe de la Milicia no puede ser ultrajado, porque son uno mismo su honor y el de la Bandera. El Gobierno, que no ha ordenado la recogida de ese papelucho inmundo...

EL GENERAL.—La ha ordenado, pero tarde, cuando se había agotado la tirada. No puede decirse que tenga mucho que agradecerle al Gobierno. ¡Si por ventura no es inspirador de esa campaña! El Presidente, con quien he conferenciado esta mañana, conocía mi resolución de dar un manifiesto al país. Entre ustedes, alguno sabe de este asunto tanto como yo. Señores, el Gobierno, calumniándome, cubriéndome de lodo, quiere anular el proyectado movimiento militar. Tengo que hablar con algunos elementos. Si los amigos son amigos, ésta será la última noche del Gobierno.

EL CORONEL CAMARASA.—¡Mi General, mande usted ensillar el caballo!

ESCENA ÚLTIMA

Una estación de ferrocarril: Sala de tercera. Sórdidas mugres. Un diván de gutapercha vomita el pelote del henchido[113]*. De un clavo cuelgan el quepis*[114] *y la chaqueta galoneada de un empleado de la vía. Sórdido silencio turbado por estrépitos de carretillas y silbatadas, martillos y flejes*[115]*. En*

---

[113] *Henchido:* relleno.

[114] *Quepis:* gorra ligeramente cónica y con visera horizontal, que como prenda de uniforme utilizan los militares en algunos países *(DRAE).*

[115] *Fleje:* cualquier banda de hierro para ceñir fardos.

un silo de sombra la pareja de dos bultos cuchichea. Son allí EL GOLFANTE *del organillo y* LA SINIBALDA.

LA SINI.—¡Dos horas de retraso! ¡Hay que verlo!

EL GOLFANTE.—Presentaremos una demanda de daños a la Compañía.

LA SINI.—¡Asadura! [116].

EL GOLFANTE.—¿Por qué no?

LA SINI.—¡Te arrastra!

EL GOLFANTE.—¡Dos horas dices!... ¡Pon cuatro!

LA SINI.—¡Y eso se consiente!

EL GOLFANTE.—¡Que acabarás por pedir el libro de reclamaciones!

LA SINI.—¡Dale con la pelma [117]! ¡Después de tantos afanes, que ahora nos echen el guante!... ¡Estaría bueno!

EL GOLFANTE.—¡Y todo puede suceder!

LA SINI.—¡Qué negras entrañas tienes!

Llegan de fuera marciales acordes. Una compañía de pistolos [118] *con bandera y música penetra en el andén. Un zanganote de blusa azul, quepis y alpargatas, abre las puertas de la sala de espera.* EL CORONEL, *que viste de gala, con guantes blancos, obeso y ramplón, besa el anillo a un Señor Obispo. Su Ilustrísima le bendice, agitanado y vistoso en el negro ruedo de sus familiares. Sonríe embobada la Comisión de Damas de la Cruz Roja. Pueblan el andén chisteras y levitas de personajes: Muchos manteos, fajines y bandas. Los repartidos corros promueven rumorosas mareas de encomio y plácemes. El humo de una loco-*

---

[116] *¡Asadura!:* según Senabre tendría aquí el sentido de «¡Calma!».

[117] *Pelma:* conversación prolija.

[118] *Pistolo:* soldado de infantería.

motora que maniobra en agujas, infla todas las figuras alineadas al canto del andén, llena de aire los bélicos metales de figles [119] *y trombones, estremece platillos y bombos, despepita cornetines y clarinetes. Llega el tren Real.*

LA SINI.—¡Si no pensé que todo este aparato era para nosotros!

EL GOLFANTE.—Demasiada goma. Hay que hacerse cargo.

LA SINI.—Ya me vi con esposas, entre bayonetas.

EL GOLFANTE.—Menudo pisto que ibas a darte. Nada menos que una compañía con bandera. ¡Ni que fueses la Chata [120]!

LA SINI.—¡Pues no has estado tú sin canguelo [121]!

EL GOLFANTE.—¡Qué va!

LA SINI.—Ver cómo perdías el rosicler [122] fue lo que más me ha sobresaltado.

EL GOLFANTE.—¿Qué perdí el color?

LA SINI.—¡Y tanto!

EL GOLFANTE.—¡Habrá sido a causa de mis ideas! Las pompas monárquicas son un agravio a la dignidad ciudadana.

LA SINI.—¡Ahora sales con esa petenera [123]!

EL GOLFANTE.—¡Mis principios!

LA SINI.—¡Y un jamón! [124].

EL GOLFANTE.—Vamos a verle la jeta al Monarca.

---

[119] *Figle:* instrumento músico de viento cuyo tubo se ensancha gradualmente desde la boquilla hasta el pabellón, doblado por en medio y con pistones.

[120] *La Chata:* la infanta María Isabel Francisca de Asís de Borbón (1851-1931), hija de Isabel II.

[121] *Canguelo:* gitanismo: miedo.

[122] *Rosicler:* arrebol.

[123] *Petenera:* fantasía, despropósito.

[124] *¡Y un jamón!:* expresión con la que se manifiesta irónicamente algo que excede a lo que se puede conocer.

En el andén, una tarasca[125] *pechona y fondona, leía su discurso frente al vagón regio. Una* DOÑA SIMPLICIA, *Delegada del Club Fémina, Presidenta de las Señoras de San Vicente y de las Damas de la Cruz Roja, Hermana Mayor de las Beatas Catequistas de Orbaneja. La tarasca infla la pechuga buchona, resplandeciente de cruces y bandas, recoge el cordón de los lentes, tremola el fascículo de su discurso.*

DOÑA SIMPLICIA.—Señor: Las mujeres españolas nunca han sido ajenas a los dolores y angustias de la Patria. Somos hijas de Teresa de Jesús, María Pita[126], Agustina de Aragón[127] y Mariana Pineda[128]. Como ellas sentimos, e intérpretes de aquellos corazones acrisolados, no podemos menos de unirnos a la acción regeneradora iniciada por nuestro glorioso Ejército. ¡Un Príncipe de la Milicia levanta su espada victoriosa y sus luces inundan los corazones de las madres españolas! Nosotras, ángeles de los hogares, juntamos nuestras débiles voces al himno marcial de las Instituciones Militares. ¡Señor, en unánime coro os ofrecemos nuestras fervientes oraciones y los más cordiales impulsos de nuestras almas, fortalecidas por la bendición de la Iglesia, Madre Amantísima de Vuestra Dinastía! Como antaño el estudiante de las aulas salmantinas alfombraba con el roto manteo el paso de su dama, nosotras alfombramos vuestro paso con nuestros corazones. ¡Vuestros son, tomadlos! ¡Ungido por el derecho divino, simbolizáis y en-

---

[125] *Tarasca:* aquí, mujer fea.

[126] *María Pita:* María Mayor de la Cámara y Pita, heroína gallega que se distinguió en la defensa de La Coruña contra los ataques de la flota inglesa.

[127] *Agustina de Aragón:* Agustina Zaragoza y Doménech, que destacó en la defensa de Zaragoza durante los sitios de la guerra de la Independencia.

[128] *Mariana Pineda:* granadina liberal que fue ejecutada en 1831 por haber bordado una bandera con la leyenda *Ley, Libertad, Igualdad,* en 1831.

carnáis toda las glorias patrias! ¿Cómo negaros nada, diga lo que quiera Calderón?

EL MONARCA, *asomado por la ventanilla del vagón, contraía con una sonrisa belfona la carátula de unto, y picardeaba* [129] *los ojos pardillos sobre la delegación de beatas catequistas. Aplaudió, campechano, el final del discurso, sacando la figura alombrigada* [130] *y una voz de caña hueca.*

EL MONARCA.—Ilustrísimo Señor Obispo: Señoras y Señores: Las muestras de amor que en esta hora recibo de mi pueblo son, sin duda, la expresión del sentimiento nacional, fielmente recogido por mi Ejército. Tened confianza en vuestro Rey. ¡El antiguo Régimen es un fiambre, y los fiambres no resucitan!

VOCES.—¡Viva el Rey! ¡Viva España! ¡Viva el Ejército!

SU ILUSTRÍSIMA.—¡Viva el Rey Católico de España!

UNA BEATA.—¡Católico y simpático!

DOÑA SIMPLICIA.—¡Viva el Rey intelectual! ¡Muera el ateísmo universitario!

UN PATRIOTA.—¡Viva el Rey con todos los atributos viriles!

EL PROFESOR DE HISTORIA.—¡Viva el nieto de San Fernando!

EL GOLFANTE.—¡Viva el regenerador de la sociedad!

LA SINI.—¡Don Joselito de mi vida, le rezaré por el alma! ¡Carajeta, si usted no la diña, la hubiera diñado [131] la Madre Patria! ¡De risa me escacho!

---

[129] *Picardear:* juguetear.
[130] *Alombrigada:* con forma de lombriz.
[131] *Diñar:* gitanismo: morir.

El tren Real dejaba el andén, despedido con salvas de aplausos y vítores. DOÑA SIMPLICIA *derretíase recibiendo los plácemes del Señor Obispo. Un repórter metía la husma, solicitando las cuartillas del discurso para publicarlas en* El Lábaro de Orbaneja[132].

[132] *El Lábaro de Orbaneja:* el título del periódico sugiere que se trata de una publicación que apoya al dictador Primo de Rivera, cuyo segundo apellido era Orbaneja.